EL ESTIGMA DEL TIEMPO

LUISA MERCEDES LEVINSON

EL ESTIGMA
DEL TIEMPO

EDITORIAL SEIX BARRAL, S. A.

BARCELONA - CARACAS - MÉXICO

Cubierta: △TRIANGLE

Primera edición: mayo de 1977

© Luisa Mercedes Levinson, Buenos Aires

Derechos exclusivos de edición
reservados para todos los países de habla española:
© 1977: Editorial Seix Barral, S. A.
Provenza, 219 - Barcelona

ISBN: 84 322 9510 8
Depósito legal: B. 18.943 - 1977

Printed in Spain

CASI PRÓLOGO

Estos diecisiete cuentos, más dos relatos reunidos aparentemente al azar, están ligados entre sí por una búsqueda: la del misterio del tiempo. Sus géneros, entre ellos el realista y el fantástico, no los dividen pues ambos coexisten en el tiempo del hombre.

El tiempo del sueño y el de la vigilia, el de la pasión y el de la compasión, el del goce y el del dolor, el del amor y el del odio son contrarios que se polarizan para convertirse en una corriente alternada que sigue su inseparable fluir.

Tampoco interfieren los géneros en la temporalidad del hoy, del ayer y del mañana. Pero creo que el autor tiene menos que ver en el tiempo que en el espacio de sus criaturas, es decir, les ha dado nacimiento pero ellos interfieren en su transcurrir, ha llevado dentro de sí a los personajes en su gestación y luego se encarna en ellos, pero no viceversa. El autor ya no es su amo o su dios para decidir su destino de ficción, pero eso sí, por lo menos en mi caso, es su cómplice. Es el tiempo y sus mareas quien los salvará o los abatirá, aunque alguno de esos personajes intenten escapar a su dominio para liberarse y acaso liberar a las generaciones.

En ficción son válidas las especulaciones y las utopías si se atiene a una lógica estricta. Preciso es advertir, pues, que la ruptura con el tiempo los liberará sólo parcialmente. Sin tiempo no hay nacimiento ni muerte, pero si intentan burlarlo andando hacia atrás, como cierto río africano, encontrarán solamente ramplonas repeticiones. Por eso hay que andar con mucha cautela para no permanecer confinados en el pozo de la memoria evitando rebasar su bien y su mal.

Y si bien alguno de los personajes ha logrado evadirse de la tiranía del tiempo, ¿quién lo liberará de su consecuencia, que no es otra que el estigma de un tiempo ya abatido?

L. M. L.

ERRAR, huir a veces, seguida por sus siete gatos. ¿Sus gatos? No se es del otro hasta ser devorado por el otro. Esto no había ocurrido. Aún. Hay algo que no tiene razón de ser. ¿Será dignidad?, se dijo la muchacha.

Tal vez, en su porte o en su piel tierra de Siena de los cuadros antiguos, o acaso sólo los vestigios. Casi no despliega aire al andar, se va pareciendo a ellos, los gatos.

¿Cómo era el mundo, antes? Ahora es nebulosoneblinoso, grada y lava. ¿Mundo?, más bien despojos de estallido. Había reventado aquello que se temió por lustros. ¿Había?, el pluscuamperfecto pertenece a un todo establecido, con madre, con padre y a lo mejor un hombre para cada mujer. Voces vagas para un vago peregrino. Pero hay algo que existe, está: esta tierra descompuesta y ella, dos realidades de barro y polvo. Y los gatos. Pero ellos tienen los ojos adecuados ¿a qué? La mirada de los jueces es la misma de antaño, cuando aún no había reventado ¿qué?, más bien cuando los hombres no habían partido el juguete para ver cómo era, adentro, sólo por conocer, saber más, más. Esa fruta que parecía intacta es furia, estallido, nada. Preferible es retroceder, recordar destinos, aunque sea de cuatro gatos, digamos: aquél fue el protegido de la Marieta, claro, la gorda quedó para siempre aplastada entre columnas de acero y paredes de vidrio, sólo los gatos pueden zafarse, mimetizarse, adecuarse a las circunstancias: se afinan, afilan como lunas recién nacidas, en menguante, por supuesto. Otro fue el huésped de la casa de las mujeres, a ellas también les faltó la agilidad, sólo fueron prácticas en escurrirse de sí mismas para soñar con su limbo propio; los demás son los gatos del Congreso y la alcantarilla, todos con ojos tramposos de hampones y lomo lujurioso con boato electrizado que nada tiene que ver con la polvareda. Adelante, adelante, entre escollos y escombros para alejarnos ¿de qué? Hay grupos de bestias, hombres y mujeres que avanzan en dirección contraria, exhibiendo sus miserias, las bestias conservando cierta compostura, los hombres lastimosos y las mujeres oscilando entre la desesperación y el falso ánimo. Y los chicos, a veces jugueteando con la destrucción. Uno de los siete gatos reaparece. Desde sus mandíbulas cuelgan destellos cambiantes, temblequeantes, mientras él saltimbanquea con gracia bucólica entre escombros podridos. La gema sagrada tornasolada se balancea desde su boca, esparce su brillo de estrella-pulpo con todos sus abalorios y tentáculos resplandecientes de ágataópalo robado al arco iris, atenuado por el gris hábitat. Los otros gatos están alertas a su alrededor, tensos, prontos a participar de la ceremonia de la dentellada, y ella, la muchacha, más tensa aún, conteniendo el respiro, contempla simplemente con los juguitos destilando en su interior, elastizándole el estómago y la lengua, humedeciéndole las comisuras de los labios; no puede sino participar, su parte de animal casi civilizado necesita siquiera un apoyito para largarse a la jungla; ve el film de la infancia educadita, el libro con el cuento del joven rey de la antigüedad remota, solitario en su palacio, por fin se dirige al bosque. Desde allí vienen las ráfagas de músicas y gritos de lujuria, se adivinan los bailes voluptuosos, las aromadas libaciones, los raptos alucinantes del amor carnal y el joven ávido, tenso, se trepa a un árbol para espiar las orgías. El rey es un tonto —piensa la muchacha—, ¿por qué sólo contemplar si podría protagonizar? Con lo aburrido que debía ser Apolo y lo divertido que era Dionisio. Pero el pavote no quiso participar y así le fue. Su propia madre con las otras mujeres oficiantes lo molieron a palos; lo habían confundido con una fiera. ¿Y qué? ¿Hay tanta diferencia? Pero el pobre reyecito tan atiborrado de buenas maneras y enseñanzas apolíneas se perdió por dejar paso a la duda. ¿Y yo soy una fiera? Todo era posible en una nueva edad. La chica mira a los gatos. Nueva Era. Participar ¿por qué yo voy a ser diferente de ellos? Y con ellos, contra ellos, da la primera dentellada. Devora, devora por fin. Está adecuándose al presente, a la nueva vida y está orgullosa; con sus colmillos agudos arranca triángulos, imágenes de lunas cansadas, flecos de arco iris de la estrella del fondo del mar.

Ahora los gatos se higienizan con sus medios naturales. La muchacha lo intenta con ineficacia; los gatos gentilmente no se dan por enterados, siguen andando, empiezan a danzar con liturgias, sostienen charlas de celebración: la chica los imita. Pulpo de la pulpería, el mar resbalando nos da sus dorados, morados, salados despojos del mal. Palpa la pulpa de palta y de plata de pulpo, maúlla, aúlla, magulla. Devorar es amar, aamaar, MARAMAR.

Un charco se interpone. La muchacha lo aprovecha, se lava en sus aguas estancadas, se contempla en el espejo del agua. No está mal, piensa, y sonríe por primera vez, en la nueva edad. Los gatos siguen trinando; la gente perra se fue a la guerra y tal vez no vuelva más, miremarineromoon, miremiromarineroman. Pero se equivocaron. Al fin de cuentas no son búhos para exigir que sus presagios sean infalibles.

Allá lejos, entre neblinas resinosas, surgen reflejos, marchas de astronautas que emprenden vuelos sin maquinarias, un hombre desnudo en una bañera y frente a él una mujer con un puñal a punto de clavar, hombres que ríen, mujeres que sangran, gritos, canción, una marcha "Aux armes, citoyens...". Sones de arpas, himno druídico. Después sólo nebulosidad. ¿Y las imágenes? Se enciman, se mezclan, brincan, calidoscopio oscuro. Por fin vacío, nada. ¿O alucinación? Pero allá se adivina, insiste un reflejo, ¿Caravana? Es, tal vez, la maravilla, pero la maravilla sobrecoge en medio de la confusión; espanta. ¿Y el fulgor? ¿La belleza era esto? Puede matar. O es solamente espejismo —piensa la muchacha—, tal vez otra fila de lisiados sobrevivientes. ¿Los fuegos fatuos de la muerte? Lo brillante enceguece, desquicia, avanza implacable, se oye el resonar de las trompas de oro, la flauta mágica de las aves desconocidas. Ella mira a los gatos, buscando su punto de apoyo, estos suspenden los juegos, están inmóviles, los ojos fijos, esperan ¿qué? La chica también espera.

La caravana se va acercando con su escolta de camellos, elefantes, lebreles y ciervos de ojos cándidos. ¿Los Reyes Magos? Otro miedo la sobrecoge. ¿Qué les digo? —piensa. La estrella ha sido devorada. Aparecen los pájaros. ¿Un ave del paraíso? Ella nunca había visto un pájaro; los intrusos del espacio habían acabado con ellos. Sin embargo sabe de leyendas de América profunda, de los pájaros que se comen a los muertos, de los que auguran el porvenir en sus entrañas: sabe de los chistidos agoreros de las lechuzas y de su sabiduría que ve el más allá del bien y del mal. Ha leído una historia de dos amantes cuya noción del nuevo día era anunciada únicamente por la alondra, y la de la noche, por el ruiseñor. La caravana ya es visible: todas las razas humanas —sus mantos, sus coronas y sus miradas— vencen las negruras. Los gatos y la muchacha se echan a tierra para ocultar sus rostros, pero el resplandor de la estrella devorada a través de sus cuerpos los traiciona. Una mujer de bellos ojos vacunos apunta hacia ellos los pezones de sus siete ubres colmadas y los satura con los siete chorros de la adivinación. —Mírala como ha quedado por haber amado a un toro por blanco y por jupiterino que sea —exclama el mayor de los gatos. —Pasifffae, fff... —responden los otros con desprecio. El Minotauro, sin reparar en los fffelinos corre hacia la muchacha, la levanta de la tierra y susurra a su oído:

—Te amo, te amo. —Catorce pupilas amarillas de siete gatos enardecidos crucifican al toro pero él ostenta en su ornamenta la doble hacha del invencible poder minoico.

—¿Me comerás? —pregunta la chica que ha devorado la punta séptima de la estrella y conoce la ley de la fagocitación, y añade: —Supongo que ésa será tu prueba de amor.

—Quisiera que formaras parte de mi fuerza y de mi belleza porque te amo. Pero ¡ay!, hemos traspasado el laberinto del tiempo. Ayer y mañana también es hoy. Eso tiene sus ventajas. Ya ves, transitamos libremente por la tierra. El pasado no está arrumbado, enferruginado, enfurruñado, pero tampoco existe el futuro con su bagaje de imprevisto.

El Minotauro se interrumpe porque es más imperioso empezar con el ceremonial de los besos y las caricias; su belfo húmedo desciende por el cuerpo de la muchacha, dibuja sobre sus senos jardines como los de las esmeraldas, enciende un collar de rubíes hacia abajo de su ombligo y liba el oriente de sus perlas carnales; lentamente ambos se hunden en el abismo de la pasión. Los gatos maúllan, entran en las zonas de los espasmos. La muchacha se siente pecadora; una bella peste tornasolada hace estallar todas sus ligaduras y contenciones. Tómame, dice. Los siete chorros de la adivinación la despiertan de su fiebre. La voz de la mujer de las ubres muge: —Si tú y los siete gatos han devorado la estrella, ahora ya son la estrella. Salve criaturas sagradas.

—Cállate, vieja loca —grita el Minotauro entre beso y lamida—. El acto será consumado ¡porca vaca! —Los gatos van a hacer uso de sus uñas afiladitas, pero ya que están con personajes de tanto fuste se deciden por medios más esotéricos: mean de arriba a abajo toda la estatura del Minotauro. Eucaliptus, almizcle y lava en ebullición, produce su efecto. Si el tiempo fuera dueño de su reino, el Minotauro no se hubiera apabullado, pero permanece en estado de desconcierto y los gatos, que son vanidosos, creyéndose la causa de tanto efecto empiezan a compadrear. Uno de ellos silba los compases más canyengues de "El Choclo" y los siete se lucen con el ocho (figura tanguera) y la sentada. El más viejo empieza a canturrear:

> Si tragamos un pulpo por estrella
> nuestras tripas bautizan al difunto
> Nuestro caldo de almizcle ya está a punto.
> El corte lo dejamos para ella.

La muchacha echa una mirada de costado a Baltazar, que está muy bien.

—Piedad, Señor —exclama revoleando los ojos.

—¡Pucha, qué pronto se olvida de lo nuestro! Con razón se decía que todo pasado fue mejor —acota el Minotauro melancólicamente.

—No se aflija m'hija —contesta el rey moreno—. El pasado y el futuro ya es un presente largo como hambre de pobre. Aura que el tiempo se nos murió, hay tiempo para todo, Estelita.

—¿Y el pesebre y el Niño?

—La familia bien, gracias.

La caravana de los Reyes Magos pasa tan cerca que casi la roza. Baltazar le arroja una pálida rosa de raso.

—Para tus rizos la rosa —canturrea. La escolta de los astronautas, medio deteriorada, lo sigue, llevando cada cual una canasta con huevos forasteros que nunca ovularán en el planeta tierra. Por ahí aparece Einstein muy sentencioso él.

—¿Ven? Yo les decía. No hay que jugar al fúbal con la bomba atómica. Reventé. Yo les previne, es un proceso en cadena y éstas no se rompen como las del gran himno argentino, salú.

Don Orione le pasa el violín apresuradamente para que se distraiga: —Total, para lo que sirven las peroratas. —Pero Orfeo sale de entre la multitud, tapándose los oídos: —Por favor maestro, no sea chapucero—, y le arranca el instrumento. Eva y Evita están medio mustias, sólo el mar muerto les lame los pies. —Acá no se pesca nada —dice la más antigua jugueteando con la manzana. —También, che, mirá que hemos hecho macanas, carajo —contesta la pequeña. Por suerte la mayor no entiende el porteño. Newton, que ha estado contemplando la manzana, bruscamente se aleja de las señoras: —Ya no queda ni pizca de gravedad en este mundo. —Y, los hombres prefirieron desarmar su mundo de dulces hermanos bestias —suspira Francisco el pobrecito. —Y de dioses —responde Tupac Amarú. —Cuando se usaba el tiempo quisieron dividir el Verbo. Un mundo sin tiempo es una gran flor única con un pistilo intacto. ¿Lo dijo Jesús, Buda, Crisna? Homero está impaciente: —Cronos en pleno hígado ha recibido el flechazo de ¿Eros?, ¿de Rama? Y claro, se nos murió Cronos... —arriesgó la muchacha deseosa por demostrar su cultura. Y sigue casi ufana: —Cuando pronuncio la palabra muerto revienta el tiempo; ¿y si por decir murió, estalla?... Una repentina, ruidosa, terrible convulsión barre las lavas, los humos, las nieblas ¿y ahora? Pesa el no saber.

Poco a poco el estruendo va tornándose eco, rumor, nada. ¿Nada? Se percibe un olorumor a mar lejano, álamos mecidos por la brisa, leve resplandor musical ro-saliláceo.

La silueta de un hombre joven asume todas las altas siluetas. Está ahí, solo, grave. La muchacha y los gatos lo contemplan sin hablar. Solamente sienten que lleva en sí algo de ave desconocida de las cumbres de los Andes, la dulzura de los ríos de llanura, es del norte y es del sur, moreno oscuro pero claro iluminado, sus ojos son azules y son pardos, negros los pelos y la barba y también castaño rojizos, noche, sol, él.

—¿De dónde vienes? —dice con temor la muchacha.

—Del dosmil —contesta él.

—¡Qué lejos! (ella piensa que es bueno que los milenios se junten).

Una voz tenue de alguien casi invisible por transparente, empieza: —Viene del principio en que se entreveran las razas y se acaba la separación de los países. Desde que los hombres atisban y algunos *ven* como si llevaran un ciego adentro. Viene desde la igualdad: "Para el místico, Dios es la verdad, y para el ateo, la verdad es Dios".

—Pero eso lo dijiste tú, milenios antes, Mahatma Gandhi.

—Pero lo ejerces tú, joven.

—¿Cómo te llamas? —persiste la muchacha sorda al discurso del viejo.

—Uno.

—¿Nada más? —y comprueba en sí que aún existe el éxtasis.

—También me dicen oye, o ven, o che o alter.

Desde la greda donde algo verde-azul parece apuntar, porque todos los animales trincan o acaso celebran, crece una nota con el sonido de las vocales redondas pronunciadas en espiral ascendente, sin interrupción ni respiro y sigue por mucho tiempo, es decir, perdón, si el tiempo no existe. Lo que está *Es*.

LA FAMILIA DE ADAM SCHLAGER

ADAM SCHLAGER, reclinado como siempre en la silla de hamaca de la galería alta, con la botella de caña ahí no más en el suelo, ya no oye el continuo rechinar de los troncos serruchándose. A través de los años, el ruido que lo había erizado ya forma parte de su paisaje, tierras bajas, el Iguazú enroscándose como una gran culebra, el temblor de las manos y las piernas, y las terciadas apilándose en el galpón.

Johan, Roberto, Cándido, Román y Simón, hombres extraños, fuertes, todos llevándole media cabeza y tambaleándose cuando cargan sobre los hombros los medios troncos de árboles muertos. José, Pedro, Manuel y Emanuel o David, o Abel. ¿Cómo se llama, diablos ese último? Ojos celestes, como todos los demás, y ya cargando madera también. Johanna lo sabía, Johanna, su mujer, lo sabe todo. Bueno, Johanna es gorda, ahora. Los sábados a la noche se destapa la damajuana de fermento de maíz y hay que ver a Johanna y sus cachorros bailoteando y gimiendo. Johan, Roberto, Cándido, Simón. A los demás cuesta nombrarlos. Johanna no era tan gorda, antes, ancha, eso sí, colorada, fuerte y fecunda. Johanna, brazos y piernas carnudas, toda ella brazos y piernas envolviéndola como guías furiosas hasta el miedo o el nido.

José, Pedro Manuel y Emanuel o Daniel, o Abel. Cinco y seis, once; once hijos de todos modos. El último, Daniel, Manuel, o dos, Emanuel y Abel, suman uno; Nathael. Eso, ya está, Nathael. Y Johan, el mayor, ahora ha traído a la muchacha.

¿Por qué viene a sentarse, flacucha y siempre callada,

a los pies de la escalerita, siempre a los pies de algo, esta muchacha Blinka, Blanka, Blenka? Como un bracito de río corre el sudor entre sus dos pechitos. ¿Por qué se sienta ahí, acurrucada con un libro en la mano si no quiere caña y sólo mira lejos, más allá de la selva y el río, y no contesta cuando le hablan?

—¡Blinkaaa, ayuda a madre Johanna con la cocina! Hoy mi linda cocina a nafta no quiere prender. Tendremos que ocuparnos de la otra, y los troncos tienen humedá. ¡Vamos, arriba, Blinka! Ven con la gran madre Johanna. Para comer hay que trabajar. .

—Blinka, ¿no quieres un trago de la botella blanca que te ofrece papá Adam?

—Hermanita Blinka, levantate, es la hora de comer —dice al pasar, Nathael, el pequeño.

A la cama, Blinka. Voz extraña la de Johan, hijo de Johanna. Sí, indudablemente ya es algo ser hijo de Johanna. Y los sábados a la noche se celebra el hecho con la damajuana de fermento de maíz.

Johan y Roberto, Cándido y Román y Simón, no iban a ser hijos de los lapachos, ni hijos de los otros hijos, los que andaban gateando y lamiéndose los mocos. Y Johanna trabajando todo el día en la cocina, y a veces con las maderas, y lavando la ropa, los senos afuera para que chupeteen Simón y Manuel, mientras ella trabaja, y también sacando un buen chorro Roberto, Cándido y Johan. ¡Oh, pobre papá, pobre papá Adam, sólo a la noche, pero Johan empezó a empujarlo, a echarlo de la cama! Los cachorros son fuertes, de buena raza y la querían sólo para ellos, en la gran cama traída de Moravia, corazones enlazados, pintados con buena pintura colorada de Mahren, en los barrotes, y las fundas de las almohadas bordadas con hilos de colores, no por ella

—Johanna tiene manos duras que lastiman los muslos—, fundas bordadas por mamá, en el hogar de Mahrish, con mamá Schlager bordando. Los cachorros echan al suelo el respeto, echaban al suelo al papá, a él, papá Adam, cuando quería subir, pero subía, a veces a la gran cama, y Pedro nació y nacía José. Johan calentaba las pavas de agua y Roberto bañaba al pequeño. Y más y más cachorros y Johanna amamantando y Johan estableciendo el orden. Después, aquí, en la galería, a la sombra de la cortina de juncos, la batalla por la botella. En la gran cama de Moravia hace calor, demasiado calor y la selva ruge, la cama rugía de rencor y de llanto de recién nacido. Sólo dos senos en la gran cama de Moravia para toda la ávida manada de lobeznos. En cambio aquí está la alta y fresca galería resguardada de los animales que trepan, seguro mirador para quien odia la selva y odia la ley de comerse los unos a los otros y ama la botella de la paz. Y ahora hasta el más pequeño, Nathael, ya carga con las maderas, y ha llegado una muchacha; seguramente la muchacha también odia la selva... no, no odia ni se protege ni se resguarda con la botella. Sólo no participa y queda a la intemperie con su libro en las rodillas, dejándose devorar. ¿Por qué, Blinka, dejaste que te trajeran del Alto Paraná, de la calle larga, roja y dorada de Eldorado, kilómetro 14, con rubia cerveza y salchichas de color rosa? Blinka hija del cervecero-salchichero, ¿no sabías que Johan, tu marido, es cachorro de loba? Blinka, con tu vestidito a lunares que apenas se hincha un poco por delante, que ya se rasga en los hombros puntiagudos (o con tus manos que lo han rasgado para que lo penetren los ojos de Roberto, Cándido y Román). Es inútil, Blinka, tu mirada va demasiado lejos, tus ojos ven otros paisajes que dan miedo y tus caderas son muy cerradas. Tu paraíso es poca cosa, Blinka, y es demasiado blanco. Nadie lo codicia y tú y tu mirada son sólo un corredor que conduce a una lejanía sin final, una lejanía que espanta. Río, ¿miras el río? Acá no hay que mirar a la distancia, hay que cavar la tierra para sembrar o para enterrar. Hay que mirar las cosas de cerca. La perspectiva no está inventada todavía. Tu cara ya se está tiñendo de polvo rojo pero tus ojos son blancos y están llenos de letras. Tierra roja y tanino y serruchar maderas y no dejar ni un solo árbol vivo, ni un solo árbol en pie. Los nidos tienen que arrastrarse.

Blinka, ahora caminas sin destino, vagas. ¿Dónde vas? Claro tienes miedo. Johan va a pegarte. No se tiene una mujer para que erre por la ribera. No vas a lavar la ropa ni a cargar tablones. Yo te he visto Blinka, una vez, cuando dejaste tu vestidito a lunares sobre un pedrusco del río, lo dejaste allí y ni siquiera lo lavaste y quedaste desnuda como una yarará en otoño. Más desnuda no te ha visto Johan. Claro Johan no tiene linda cama de Moravia con acolchado doble, de plumas y corazones pintados. No hay mujeres desnudas en los catres de campaña. Pero a la orilla de los ríos, a la noche, a veces se encuentra a las muchachas del río trenzándose los cabellos y jugueteando con los peces, y tú, Blinka, con tus pechitos como palometas chatas y saltarinas y tus piernecitas de iguana quieres ser una de ellas y atravesar el río, cruzarte a la otra costa, yo lo sé, donde los hombres de piel oscura no entienden de grandes camas de Moravia con rojos corazones pintados en sus barrotes, y se conforman, se conforman.

—Blinka, no corras por la cuchilla del río, cubrí tu carne. Si tu marido sabe que te bañas desnuda te pagará.

—Mi marido no me ama, ni mis hermanos, ni vos, Nathael. Nadie me ama, acá.

—Nuestra madre Johanna quiere a todos, su querer

da a cada cual lo que necesita.

—Madre Johanna, madre Johanna, siempre madre Johanna. ¡La odio!

—Blinka, no hables así. Yo te quiero como un hermano, como a un verdadero hermano.

—Vos tampoco me querés. Si me querés, probámelo. Besame esta noche, Nathael.

Y Blinka se pone a bailar a su alrededor y después, entre los juncos, grita palabras:

> *Bésenme los once,*
> *la campana es alta,*
> *la luna es de bronce.*
> *Me duele la luna.*
> *Vuelven a la cuna*
> *once hermanos machos.*
> *Lentos, los lapachos*
> *descuelgan guirnaldas,*
> *once hermanos machos*
> *me dan las espaldas.*
> *La tierra que aterra,*
> *que hunde, que entierra,*
> *la madre, la perra*
> *que aúlla en la tierra...*

Las voces de nueve hermanos quiebran el canto en la oscuridad.

—¡Bruja, bruja, la Blinka es una bruja!

—Johan ¡tu mujer está maldita!

—¡Bruja, bruja es la mujer de Johan!

—Está corriendo desnuda por la barranca y canta!

—¡Brujaaa!

—Besame, Nathael.

—Escondete en el cañaveral. Aquí, Blinka, aquí. Yo quiero a tu hermana María. ¿Dónde está tu ropa? Vestite, busquemos la canoa y vamos río abajo y después tomaremos la barquita por el Paraná, hasta la casa de tus padres. Yo quiero a María. Si te encuentra Johan te va a matar.

—Besame, Nathael, besame.

—Cubrite, Blinka, y no cantes, que nos encontrarán. Tengo quince años y ella dieciséis, ¿crees que me la darán?

—Besame, Nathael, yo te daré todo si me besás.

—Pero estás desnuda, Blinka.

—Por eso...

Adam Schlager, desde la galería alta ve la maldición o la presiente. Se ha puesto de pie en la escalinata. Es alto, todavía, y a la luz de la luna casi tan rubio como los hijos. Por la selva baila una mujer desnuda. Once hombres van tras ella. Es bastante, ya. Adam Schlager toma un trago de su botella y se vuelve a sentar.

La madre sabe como arde la luna en los pechos desnudos, como daña su resplandor a los que corren de noche tras el mal. Si la locura entra en el cuerpo de una muchacha, no lo abandona hasta derramar la sangre de un hombre.

—Johan, Roberto, Cándido, Román, Simón.

Y la voz de la madre va enrojeciéndose, llenándose de miedo al llamar a los menores.

—¡José, Pedro, Manuel, Emanuel, Daniel!

Y se vuelve honda como si una tierra muy blanda se abriese hasta el fin.

—¡Nathael!

Lejana y negra, en la espesura, estalla la voz de Johan.

—¡Nathael, me has traicionado!

—Yo sólo quería cubrirla, Johan, porque está desnuda.

—La cubriste contigo mismo. Ahora la cubrirás con tu sangre.

La madre, allá en la casa, sabe que sólo el fuego puede atraer el fuego. El mal es lo que va más aprisa al encuentro del mal. Riega con nafta la cocina blanca, su linda cocina regalada por sus hijos mayores y la hace explotar.

—¡Roberto, Cándido, Román, Simón, José!

Las alegres llamaradas y los gritos desesperados enrojecen el cielo.

—¡Johan, Nathael!

La madre va acá y allá con una antorcha encendida en la mano, liberta las brazas del horno de pan, prende fuego a las maderas apiladas, construye tabiques, paredes, columnas de fuego.

—Acá, Pedro, Manuel, Daniel! ¡Fuego, fuego!

—Mujer, Johanna. ¡Mujer! No dejes también tú que la locura se escape de su cárcel, no le abras las puertas a la locura —grita Adam desde su terraza. Pero es débil la voz de un hombre viejo frente a la madre y el fuego.

—¡Nathael! ¡Nathael!

Nueve miradas como noches comprimidas, entre el hermano mayor, el poderoso Johan, y el menor, el caído, Nathael. De pronto el incendio lejano les entra por los ojos, por las narices.

—¡Nuestra casa está ardiendo! ¡Madre, madre!

Y la voz de Johan sobre las otras, rasga la selva:

—¡Madre! —su odio ha quedado tirado entre raíces,

sólo prevalece su urgencia de madre—. *Ya voy, ya voy, madre.*

Johan da la espalda al hermano caído y se echa a correr adelantándose a los otros nueve. Su sangre intacta lo enardece, o es la otra sangre que también es suya y le mancha las manos. En su carrera resbala de su cinto el cuchillo, húmedo aún. Johan llega el primero.

—¡Madre!

La madre, tendida entre cenizas, lo nombra con otro nombre. —Nathael... Por fin, Nathael, te esperaba. Nat... Hael... Na... Tha... el... —hasta que el nombre y la última luz en los ojos de la madre se apagan y la traspasan.

—Nathael —repite Johan y se mira las manos—. Yo, Nathael, Nathael. Y huye hacia la selva con el nombre entre las manos y adentro y alrededor de sí.

Los otros nueve hermanos llegan, por fin, y la lucha de hombres y fuego empieza sin perdón hasta que vencen los hombres y todo lo vuelven negro, ellos mismos son un negro coro de hombres apesadumbrados gimiendo alrededor de la madre, que han extendido sobre la gran cama, cubierta con el manto negro de la Cuaresma. Los hermanos siguen con su monótono gemido hasta que va naciendo en ellos la voz olvidada de la madre muerta, y crece, y les revienta el pecho: *Nathael, hay que buscar a Nathael.*

Los nueve hermanos se ponen de pie, estirándose o desperezándose, como después de un sueño muy largo; algunos se restriegan los ojos y erran, callados, hoscos, sin mirarse los unos a los otros; van hacia el río, entre los juncos, allí donde Nathael había caído. ¡*Nathael*!, pero no lo encuentran y los hermanos se dispersan —¡Nathael! ¡Nathael!— algunos subiendo las cuchillas y volviéndolas a bajar, otros llegando hasta las grutas y el cañaveral.

—¡Nathael! ¿Dónde estás, Nathael?

Los hermanos se juntan, son un bosque de hermanos; uno de ellos ha visto una sombra, huyendo, y otro la vio, también, y otro, y resuelven cazarla, selva adentro, abriéndose paso con sus machetes, pero la sombra y sus ecos son cada vez más hondos, y rugen: *Nathael, me nombró con su nombre, Nathael. Yo, Nathael, yo, Nathael.*

En el corredor quedó tumbada la botella vacía; el padre se fue, costeando el río hasta las piedras grandes y las grutas, entre la maraña de los helechos, por debajo de las cascadas trepando por la catarata de *Los Dos Hermanos*, y queda ahí arriba, de pie entre los chorros paralelos que se derrumban. Sólo se le ocurren cosas vagas: los dos torrentes que vencen la montaña se mezclan en el río porque son agua, no más. Y él, el viejo Adam Schlager está de pie sobre el amanecer y siente vergüenza. Su sombra empieza a proyectarse sobre uno de los torrentes y oscurece sus aguas; eso es mejor, algo así como encontrar a la familia. Y de pronto ve y recuerda que está allí para tratar de ver, justamente, lo que está viendo:

Entre la furia del río, un madero, o dos, en cruz vertiginosa, y sobre eso, el arco iris pegoteado a puntitos en la desnudez de una mujer —agrandada en hermosura y en horror— apoyada sobre otro cuerpo, y en el brazo de ella reposa el sol o toda la luz del sol concentrada en esa cabeza de muchacho herido, sol poniente sobre el río del amanecer, y ella besa ese rol robándolo, sorbiéndolo, de proa hacia el Paraná, hacia Eldorado prometido, de proa hacia la muerte.

Es la visión fugaz, enceguecedora, que debiera fijar, tatuar para siempre; pero el rayo, si no mata, se olvida. El sueño es más tenaz, más perdurable, o tal vez la visión reciente —cuerpos en cruz contra un telón de belleza exasperada— fue el sueño. En cambio el muchacho muerto y la muchacha a punto de morir navegando un río oscuro, a la deriva, es la visión real soñada implacablemente en la galería.

"Torrente, vértigo. No se debe, viejo Adam, mirar lo que no está hecho para mirarse desde la altura por ojos de hombre. Johanna, la mujer, ella sí podía estar en lo alto y arrastrarse hasta lo hondo. La botella de caña era la paz en la galería, todo lo volvía soportable, razonable, los sueños, y las voces, las risas y los insultos de Johanna, todo sólido, no tambaleante visión que enceguece.

"La catarata salpica, espolvorea de azúcar de colores, el aire da vueltas con muchos colores como los alcoholes blancos de Moravia envasados en lindos botelloncitos verdes. Nathael, el pequeño, y en los ojos, nada.

"Cae la nieve a torrentes, a cataratas, y tiene todos los colores inventados por Dios. Nieve en los ojos de Nathael, cayendo, cayendo conmigo... así..."

LA MUCHACHA DE LOS GUANTES

—¿Y USTED también ahorra para conseguir un marido?

Apenas acabó de formular la pregunta, Carlos se sintió incómodo. Esta muchacha de los guantes grises era la menos atractiva de las estudiantes de español y parecía carecer del sentido del humor.

—Yo ahorro para comprar un lugar al sol —y le volvió la espalda.

Hasta entonces Carlos se había sentido seguro de sí a pesar de su alemán primitivo y de sus cincuenta años, a pesar de su calva incipiente y de sus ojos miopes. En cierto modo era un caso interesante ese profesor extranjero, delgado, un poco cansado, entre todas esas chicas deportivas de la Universidad que en las horas libres trabajaban con el fin de reunir una dote, es decir, comprar un marido. Y Carlos, profesor de filosofía, pero con la filosofía casera del criollo, era un hombre, caramba, pertenecía al género por el cual se afanaban las lindas muchachas altas y rubias con airecitos de ama de casa. Pero esa, la de los guantes, quería comprar el sol... No, realmente no se parecía a ese calco de Daphné que se ofrecía en varias vidrieras de Frankfurt, reproducida en biscuit por veinticuatro marcos y diez fénix, desnuda y huyendo de Apolo. A esta muchacha no se la podía imaginar desnuda. Tenía guantes de lana, grises.

—¿Quiere que caminemos un rato? Me gustaría conocer la ciudad, si usted me guiase.

Era la menos aventajada de las estudiantes de español, es decir tenía un amplio vocabulario, pero lo usaba con mucha dificultad. Él continuó:

—¿Usted quisiera un lugar al sol? Una linda idea, casi una utopía en este país. No he visto el sol desde que llegué a Alemania.

—Bien. Le enseñaré el parque —dijo la muchacha contestando a la primera pregunta.

Tenía extraños ojos grises. Dos angostas ranuras que se entreabrían apenas para lanzar reflejos filosos.

Caminaron. El parque era un buen parque. En los invernaderos había orquídeas pero a Carlos sólo le interesaban los senderos bordeados de tulipanes.

—Entre —la muchacha se había detenido frente a la puerta de un invernadero—. Entre —tal vez por su dificultad de pronunciación, las sílabas sonaban como órdenes—. Son orquídeas, flores de las tierras del calor.

Cuando llegaron a una confitería a tomar el té, la muchacha tampoco se sacó los guantes.

Las avenidas eran anchas y anodinas. La destrucción y reconstrucción habían suprimido el misterio de las callecitas retorcidas y la posibilidad de la sospecha.

—No es una ciudad cara, como Munich o Berlín. Acá las cosas están en precio —dijo la muchacha sin sonreír.

Carlos la miró decepcionado. Esa chica de facciones tensas hubiera debido decir cosas trascendentes. Ella añadió, bajo su mirada:

—Y ahora ¿a dónde? —siempre parecía esperar lo peor.

—No tenemos prisa, ¿verdad? Podemos vagar.

Carlos la tomó del brazo. Ella se sacudió como defendiéndose de una agresión; Carlos no la soltó.

Al día siguiente fueron a visitar las iglesias, al otro, los museos. Después, la casa de Goethe. Carlos le habló de los múltiples amores del poeta; la muchacha lo había estereotipado en una ideal y triste fidelidad por Carlota.

—Compremos algunas tortas y me invitas a tomar el té en tu pensión, ¿quieres? —preguntó él.

—¿En mi cuarto? ¿Por qué no en su hotel?

—Las otras muchachas reciben en sus habitaciones, creo.

—Sólo tengo una taza.

Vivía en un pensionado universitario donde las muchachas y los jóvenes acostumbraban a reunirse en los diferentes cuartos. Pero ella nunca había participado.

Con una taza envuelta en un papel dorado y una torta de manzanas, llegaron a la pensión. Carlos le explicó el rito del mate y la bombilla.

—¿Pueden ser tanto así de amigos, allá? Compartir.

Los recelos se iban desprendiendo de ella como las hojas de los árboles. Afuera llovía suavemente.

Frankfurt es una ciudad próspera y moderna. Un poco demasiado moderna y la lluvia cae en el vacío de las avenidas abiertas.

En la pequeña habitación encendieron la estufa a carbón. Carlos empezó a hablar de sí. No lo hacía por regla general, pero esta muchacha se interesaba por las minucias, por el color de las tardes, allá, por los problemas universitarios, por el adoquinado de las calles, y, por qué no, por la vida cotidiana de él.

—¿Aquello que me gustaría más en el mundo? Pues estar así, charlando con una muchacha desconocida en una ciudad cualquiera, no turística. Tal vez vagar. Sí, es lo que más me gusta.

—¿Y por qué no lo hace? Con sus conferencias en las universidades extranjeras basta para...

—Soy casado.

La muchacha descorrió las celosías de sus párpados. Tenía pupilas metálicas por donde desfilaban paisajes áridos.

Ella sintió que por primera vez podría pronunciar su apellido, si se animase. Pero no lo hizo. Lo observó. Estaba algo tostado. Sin duda eran muchos años de sol adentro de él; de sol físico, verdadero, sin contar noches ni crepúsculos. ¿Serían veinte o veintidós, tantos como los oscuros de ella? Tiempo-sol, es buena vara. Tal vez la medida de la felicidad.

¿Por qué había nombrado ese vocablo, invento de tontos? ¡Pst, la felicidad, perseguida por los románticos, tema de la última clase!

Carlos seguía hablando de su vida en Buenos Aires, su pequeña casa en los suburbios, mirando el norte. Porque allá el norte es el lado del sol, y mi mujer...

—¿Es morena?

—Tal vez. No, no, es rubia, con algunas hebras blancas. Hace diez años que no camina. Está allí, sentada junto a la ventana que da al norte, me espera.

Esa tarde tampoco se sacó los guantes.

Carlos ya había terminado el ciclo de sus conferencias sobre literaturas hispánicas. Se quedó un día más para hacer compras. La muchacha lo acompañó. En una casa de discos, en un camarín pequeño, escucharon Brahms. Carlos, allí encerrado en el estrecho camarín de paredes de vidrio se sintió elevado hasta las zonas de la libertad, y no obstante, pudo contemplarse a sí mismo en ese ataúd vertical y transparente, mientras su verdadera esencia seguía atravesando espacios, marchando, avanzando.

Su yo consciente e inmóvil —la atmósfera se raleaba como si la música pura consumiera todo el oxígeno del camarín— acudió apoyado en el débil salvavidas de la razón y de los textos, aún los apócrifos: "La maldición bíblica del judío errante no era otra cosa que marchar". Una nueva frase musical omnubiló y esclareció su alma. Su diálogo consigo mismo prosiguió: "Pero cumplir la ley no es nunca castigo. *Marchar*, sin el lastre del cuerpo, es liviano".

De pronto Carlos sintió un filo metálico que le atravesaba la nuca. Se volvió. La muchacha le clavaba el haz de luz angosta y gris que se escapaba por la ranura de sus párpados. Se sintió incómodo. La había olvidado completamente. Tuvo que redescubrir sus facciones. Ese joven rostro era pétreo; no acusaba ninguna raza que pudiera ayudar a descifrarlo, como si el cosmos se hubiera divertido acrisolando todas las razas humanas en un menhir enhiesto, de frente al abismo.

Pero esas manos enguantadas no estaban quietas; se distorsionaban, se crispaban. Carlos pensó que la distancia que media entre los planetas de la música y la tierra debe ser inmensa. Él caía desde muy arriba y todo le parecía extraño y feo. Trató de sonreír al mundo, es decir a la muchacha, y tomando un disco de los que estaban allí apilados se lo alcanzó. Era de Haydn.

La muchacha no lo tomó en seguida. Permanecieron unos compases así, él con el brazo estirado, ella con el cuerpo inmóvil, pero las manos, aún convulsionadas. Luego la tensión aflojó.

—¿Para mí? —dijo—. ¿Es para mí? ¿Por qué?

Sus ojos se cerraron con fuerza, como para no dejar escapar algún secreto. Al abrirse de nuevo estaban casi embellecidos. Dijo:

—Usted se había ido muy lejos, y yo no lo podía seguir —extendió las dos manos, tomó el disco y lo acercó al pecho.

Esa misma tarde, ya en la amplia avenida: —¿Quieres hacerme un favor? —dijo él—. Debo hacer compras para mi mujer. ¿Me acompañas para elegirlas?

Entraron en una casa donde vendían guantes. —Mi mujer tiene tus mismas manos. ¿Te los quieres probar?

—No son las mismas manos.

Estuvo un momento tiesa, afrontándolo como una

araña empinada en sí misma, frente al tractor que va a aplastarla.

Carlos sostuvo esa mirada, sonriéndole, guardando en las suyas las manos enguantadas. —Te los saco, Herta.

Estaban solos, en un rincón de la tienda. Era la primera vez que él la había nombrado por su nombre. Ella cerró los ojos, y dejó hacer. Una expresión de alivio fue sumergiéndola en un invisible pantano gris donde ya nada peor podía suceder.

En efecto, lo que Carlos iba descubriendo era el horror. Pero, aun esa palabra era demasiado neta para figurar algo negruzco, descarnado y agrietado, con trazas de algún número o cifra, para recordar que el mal mayor era hecho por los hombres, y avergonzar los ojos humanos que se posaran sobre esos espectros con la inolvidable expresión del rencor.

Lentamente Carlos fue calzando en eso que fueron manos los guantes sin estrenar.

Cenaron en una anónima y enorme cervecería. Con sus manos enguantadas la muchacha tomaba el gran porrón de cerveza rubia y lo llevaba ávidamente a los labios. Era la primera vez que Carlos la había visto beber.

—¿Será como éste el gusto del sol, del verdadero sol? —decía ella.

Fueron al hotel de él a tomar café. En el cuarto había dos sillas. La muchacha las miró y lentamente se sentó al borde de la cama. Carlos preparaba el café, la crema, los bizcochos. Él también se sentó en la cama. Con dulzura le sacó los guantes, tomó esas manos entre las suyas y habló, mientras las acariciaba; del tedio, la mediocridad de las clases, y su mujer que lo esperaba siempre.

—¿Volverá allá?

—Es mi deber. Pero ahora, allá, es remoto. Y triste.

—Pero hay sol.

Sol, moscas y chicos que juegan en la acera persiguiendo a los gatos; cajones de basura que olfatean los perros escuálidos y vendedores ambulantes de voz destemplada. Y al atardecer, un ómnibus repleto de gente sudorosa, y caminar las tres cuadras y media entre comadres a las que hay que preguntar por sus maridos. Sí, él siempre vestía de negro. No sabía por qué. Era molesto, a la hora del sol.

La casita era blanca. Los chicos del barrio escribían interjecciones en las paredes. A veces, también dibujaban una hoz y un martillo o una cruz svástica o simplemente "Chirulo mandate a mudar del barrio". Todo gratuito, menos los hombros un poco doblegados y el cuello y el rodete grisáceo de su mujer, de espaldas a la calle, sentada en el sofá y apoyada contra la ventana. Y ese cuello y esos hombros se volvían al reconocer sus pasos, porque los reconocía desde lejos, antes de oírlos, siempre.

—Hola, Carlos.

—Hola, Mecha.

Las provisiones estaban sobre la mesa de la cocina. La chica de servicio había dejado todo en orden, la sopa en la cacerola, él debía recalentarla y prender el horno para la carne ya preparada en la asadera.

Después, debía llevar a su mujer al lecho, en brazos, porque ella se había negado a utilizar el carrito de ruedas. Y él tomaba su lugar junto a la ventana, en el sofá, con el libro y los cuadernos, y preparaba la clase del día siguiente.

—¿Pero siempre así? ¿No van, a veces, a la montaña?

—Queda lejos. Allá todo queda lejos.

Carlos calló. Después lentamente, calzó los guantes a la muchacha y la condujo de vuelta a su pensión.

Al día siguiente partía el avión. La muchacha fue a despedirlo. Comieron en el aeropuerto, brindaron; era la última vez.

Él ya había pasado por la aduana, pero ella se coló entre la muchedumbre. Una expresión extraña, de dolor o deslumbramiento, le suavizaba el rostro. Por primera vez él la vio bella, de una belleza desoladora. Las facciones eran regulares, los ojos, de cejas bajas, despedían luces casi espaciales, la cabellera, vitalizada de pronto, se encrespaba en la contraluz de los focos verdes y rojos. Parecía una elegida, ¿para qué? Levantó los brazos hacia él, espectantes los ojos y los labios. Él la tomó en sus brazos y la besó hondamente.

La muchacha escuchaba a Haydn, contaba el dinero y controlaba la libreta del banco; sumaba y restaba para saber cuándo podría comprar el sol.

Una mañana resolvió faltar a la Facultad y al empleo; una decisión nueva la impulsaba. Iba a elegir el barco rumbo al sol. El sol, ahora, tenía una ubicación exacta, un lugar en el mapa: Buenos Aires, la ciudad de él.

Todas sus economías estaban apretujadas en una pequeña bolsita prendida a su corpiño, con ella durmió y veló los veintiún días y noches de la travesía.

Llovía en el puerto de Buenos Aires cuando desembarcó; los edificios eran grises, como los de allá, algunos más altos, otros bajísimos, arrastrándose en el pavimento gris. A la tarde salió el sol. La calzada despedía vapores de nafta y sudor. El español aprendido en la Facultad servía de poco. Un hombre la siguió y le dijo cosas incomprensibles. Hubiera sido bueno sentarse en alguna terraza de café, en la acera, y tomar cerveza rubia. Pero debía apresurarse.

En el barrio de él encontró lo previsto: chicos persiguiéndose entre sí y gatos grises que huían de las esbozadas caricias de ella. Siempre le había gustado acariciar a los gatos; sacarse los guantes, de noche, y en los rincones oscuros acariciar algún gato, justo en el sentido del pelo, y el gato comenzaba a comunicarle su magnetismo, a desperezarse y ronronear, indiferente al horror de sus manos, sólo atento a su destreza y a su calor. Pero estos gatos no la querían. La muchacha siguió calle abajo. Pasó un perro rengo y triste. Ella contaba las casas, las tres cuadras, y después la sexta ventana de la derecha, la que daba al norte.

Allí estaba la silueta: los hombros eran más pesados, el cuello más grueso, con una jorobita de grasa en la nuca. No tenía rodete. Una melena corta de un rubio artificial coronaba esa media figura, como algún busto de una plaza acaso posado en una columna de mármol. Y sobre el zócalo de la casa, tal como lo había imaginado, una inscripción en tiza y caligrafía despareja: "Acá vive el perro rabioso del maestro".

De pronto la muchacha se sobrecogió. La luz violenta de la tarde no se mitigaba. Sólo pudo ocultarse a medias, a la vuelta de la esquina. Eran los pasos. Los mismos pasos que oía, a esa misma hora, regularmente, la otra, sin miedo al vacío, todos los días.

Hubiera cambiado sus manos negruzcas, descarnadas, numeradas, por la columna de mármol o las piernas paralizadas o lo que fuera. Hubiera querido ser la que volvía la cabeza y el rostro seguro, y ver, a la hora en punto de todas las tardes de todos los años, la misma mueca de hastío y esperar que él calentara la sopa y el asado y la llevara, con un poco de dulzura, un poco de asco, cada día con más esfuerzo (ella le descubriría una congestión en la vena del cuello o en la frente) alzada, con todos sus kilos sedentarios, hasta la cama de los dos. Sentía que ella, Herta, también hubiera quedado inmóvil para siempre porque era bueno descubrir una cana o una arruguita nueva cerca de los ojos cada día, y nada más, sólo esperar como lo habían hecho otras mujeres en los *burgs* en la montaña, en esas ventanas ojivales donde en la primavera entraba, con economía, ese mismo sol que había endulzado la vid que placía a Carlomagno.

Ella hubiera esperado, a la orilla del Rin o en esa calle suburbana de Buenos Aires, era lo mismo, inmóvil para siempre, porque esperar es dulce como el vino si se está segura... de que él volverá y nada puede suceder por última vez.

¿Sus manos enguantadas temblaban? Era deprimente que además de su horror fueran débiles. Algo empezaba a fallar, a dar vueltas a su alrededor. Algo ajeno que la iba poseyendo, de fuera para adentro, y llegaba muy hondo, un deseo o dulzura que no era suyo se le iba incrustando cuerpo-adentro. ¿Pertenecía a esa casa de cara al sol? La reflexión la iba abandonando, sólo quedaba un vago deseo de morir.

No, no era ella misma, Herta, numerada, desfigurada, dolorosa. No podía ser ella, la que ya había tocado fondo, ¿y qué? Como en un relámpago lo supo. Esperar era cuestión de la otra, la extraña que ahora se había apoderado de su yo, y ella obedecía a esa naturaleza ajena de la mujer de hombros pesados y grasa en la nuca que era menester arrojar de sí. Era preferible irse de allí y regresar al puerto por donde había entrado en su barco, el puerto de ciudad de América donde el sol es barato y sucio y el río es de greda; dejarse ahogar y llenarse la boca y los ojos de barro color sol descompuesto, pero saber, saber de una vez qué quería de él, de verdad, y no quedar allí.

Era ella, Herta, quien estaba sentada a la ventana, quieta sin remedio, soportando la limosna del sol, o de él. Era terrible ser sólo un busto de estatua derrumbado sobre un pedestal de tedio esperando el rechazo enmascarado de él. Era preferible morir. Morir.

Pero él sería capaz de empezar de nuevo, desatado, libre. Él quería ser el vagabundo de los caminos, una mochila a la espalda, un porrón de aguardiente y una canción, y descubrir los secretos del mundo. Y los encontraría. Seguro que siempre encontraría una muchacha con una cadera quebrada por los escombros del bombardeo, otra con el estigma en la frente, otra un poco loca o muda... para que él pudiera llegar, libre, bondadoso, aventurero, poderoso, hermoso, y se permitiera una sonrisa y una palmada en el hombro y un gesto de ternura, acaso un beso en los estigmas o en la boca. Su conciencia podía seguir bien conservada, total, su mujer, pobrecita, había estado atendida, hasta que murió. Él era así, generoso con el mal ajeno, caramba, qué se había hecho de aquella muchacha de los guantes, dulce muchacha de las manos de asco.

Ella, Herta, estaba hecha para eso: cumplir. Tal vez él lo supo siempre. Tal vez por eso él la eligió. Pero ella se lo había callado a sí misma, hasta se lo calló aquella noche, a los doce años, cuando tuvo la certidumbre, a pesar del dolor más largo que sus años, más pesado que su cuerpo, de que no iba a morir porque debía obedecer a un propósito que se presentaría, después. Servir a una causa, cumplir una misión.

Era como para morirse de risa. Los que vinieron después a libertar a los de los campos de concentración, los justos, los buenos, eran peor, porque no tenían amo, ni misión y podían, sin remordimiento, abrazar y besar a las muchachas y todavía sonreír. ¡Los hombres! Pero estaba él, Carlos, que había acariciado sus manos de aninal escamoso. Las hubiera acariciado siempre, por toda la vida... con la mueca de tedio, lo mismo que con la otra, la paralítica, con idéntico asco por tener que comer y dormir con una muchacha que no podía mostrar sus manos. Hubiera sido gracioso: una mujer desnuda con pechos de buche de paloma y manos enguantadas. Vaudeville de Francia para hacer reír a los marineros norteamericanos.

Las manos estaban ahí, adentro de los guantes comprados para la otra. Las manos que habían pasado por el fuego y habían sido aplastadas por los hierros no podían existir, y sin embargo allí estaban, pero no podían razonablemente, ser parte de ella misma. Que dejaran el veneno de sus escamas en cuanto tocaran, ella, Herta, no tenía nada que ver con esas manos que eran un número. Que obedecieran a Pitágoras, si se les daba la gana, que siguieran su ley. Él lo había dicho o pensado, en aquel camarín estrecho en que se había alejado tanto en pos de la música de Brahms: "La ley cumplida es lo único que importa".

La ventana ya se había cerrado. Las celosías estaban bajas. Carlos ya estaría llevando la sopera al comedor, una vieja sopera tal vez de porcelana de Sajonia. ¿O no había Sajonia bajo el pesado sol soñado con moscas y llanuras?

Las moscas vendrían después, se posarían en grupitos sobre esa nuca quieta por todo el atardecer.

La muchacha esperó toda la noche caminando por la ciudad. Era curioso caminar así, sin rumbo. Era una costumbre que él le había enseñado. Por allí una plaza pueril, con estatua, edificios casi hermosos, sólo que no parecían de verdad y calles sin bombardeos, sin reconstrucción, con gente intacta y aburrida que no sabe de torturas pero sí de rencor, y de pronto la aurora y el sol, la delicia del sol penetrando; ya la misión no tenía razón de ser, sólo quedaba dejarse estar, así, al sol.

Pero se levantó de ese banco de plaza y tomó un ómnibus, para saber como era eso de apretujarse, por la mañana. Y el barrio, otra vez, con chicos-ángeles con valijas y cuadernos y mujeres desgreñadas recogiendo los tachos donde estuvieron los desperdicios. Y de pronto, Carlos, él saliendo de la casa. Pasó por su misma acera, casi la rozó. Herta aspiró su olor a traje negro al sol. Él iba mirando el empedrado, sin levantar la vista; parecía más viejo. Claro, no la vio. Seguramente no sabía qué color tenía el cielo esa mañana. ¿De qué sirve el sol si nos hace cerrar los ojos y nos ciega, y no se le da las gracias por resbalar desde la raíz del pelo y entrar en los huequitos dentro de los huesos de los hombres, hondo por las vértebras, una a una, mientras van hinchándose primero y después secándose de sol? Pero Carlos era sólo pies pesados. ¿Y su ley, su destino de vagabundo piadoso? "Seguir la ley es sentirse liviano", era su lema. Y ahora los pies le pesaban como planchas de fierro que aplastan... ganas, voluntad, ideas. Y el sol, sólo ceniza caliente que lo está consumiendo, adentro.

El tac-tac de los pasos de Carlos fue apagándose y en la ventana quedaba, se acomodaba para todo el día, la melena amarillo artificial, la jorobita de grasa... Habría que acercarse y mirar hacia adentro. ¿Cómo era esa casa vivida noche a noche por él? Tendría estampado en los rincones el fracaso de Carlos o su estigma sería el amor anterior, aquel del que no quedaba ni la memoria, sólo la mascarilla *post mortis* de la lástima.

Nadie había en la calle asoleada. Las mujeres en batón habían acudido a la otra cuadra para comprar los frutos del sol. Sólo un gato que no era querido la miraba a ella, la intrusa, y la instaba con sus ojos de abismo o de gato, a zambullirse hasta el fondo.

Fueron las manos, ellas solas las que maullaron su libertad absoluta y se arrancaron una a la otra los suaves, los falsamente pudorosos guantes que cayeron en la acera, entre un mosaico levantado y el barro. Y las manos quedaron ahí, agazapadas junto a las celosías abiertas, con toda la esplendidez de su horror, enardecidas por el sol. La muchacha las miraba fascinada; las falanges fuertes, crujientes, revelando una verdad triunfadora, acaso escrita en la cábala de un número.

Y esas manos adoptaron su posición natural de garras y apretaban el cuello macilento, un poco más arriba de la jorobita de grasa, un poco más abajo de las mechas del rubio artificial.

En la libertad de esas manos estallaba por fin un acorde de Brahms, puro y total, penetrando las vértebras de la muchacha, o de la mujer del pedestal, unidas por el crescendo del miedo, de la desesperación, del basta.

La cabeza doblegada se rindió.

La muchacha sin guantes quedó allí, cansada, ajena ya, sorprendida ante esas manos, llaves-cirios ardientes amuletos, que iban abriendo, uno a uno, los pórticos de los poderes oscuros para que ella penetrara; Herta, joven árbol con la copa hundida hacia abajo, mientras las raíces de sus dedos prevalecían, desnudos, desafiando el sol.

EL MITO

No me gustan las corridas de toros. Prefiero la España de Ortega, la que mira a occidente. En las pocas corridas que he presenciado, mis simpatías estuvieron del lado del toro. Claro, esta vez... Fue en una ciudad bien adentro de la Península, con ruinas romanas y unas arenas que databan de los tiempos en que los hombres sacrificaban a los hombres. La llegada de la cuadrilla con el matador famoso fue un acontecimiento en la ciudad. Como otras gentes del lugar, presencié la ceremonia del atuendo del torero. Las mujeres lo contemplaban embobadas mientras sus ayudantes le enrollaban la faja al fino talle. Era alto, con el pelo y los ojos casi dorados: un príncipe bárbaro y deslumbrante, llegado del norte con el único fin de matar. Su mirada estaba estancada en una dirección única. Busqué aquello que la usurpaba. Eran los ojos brillantes y negros de una mujer. Tenía la piel de una palidez traslúcida. Muy quieta, parecía alucinada; sólo el suave compás del pecho era visible en el escote pronunciado. De pronto enarboló el abanico; ese vaivén hacía tintinear sus pulseras. Al pelo renegrido, como aceitado, llevaba prendido un jazmín. Un perfume de flor blanca y carnosa era casi visible a su costado, una especie de dibujo tenue que la repetía como un reflejo. El jazmín al contacto con su piel, olía a magnolia.

Un perfume así, no el ovillo de oro, habrá guiado a Teseo por el laberinto hasta el semidiós, pensé.

El torero fue instado a partir, creo que en andas, y ese hilo tenso de las dos miradas quedó suspendido en el aire.

En la plaza de toros logré sentarme a la sombra, en

primera fila. La mujer del jazmín tenía allí su asiento reservado. Al son de la banda, y después de la recorrida, el torero brindó su espada a la mujer, fiel a la ceremonia antigua. El toro parecía apocado. El matador lo provocó. Me pareció ver en los ojos de la bestia una expresión casi humana. Y la lidia comenzó con riesgos más allá del coraje.

El torero en cierto momento se arrodilló frente a la majestad del toro para volverse a erguir en su orgullosa estatura de hombre.

El clamor desde el tendido se unió en una sola palabra; creo que fue *olé*. La capa violeta y amarilla era un solo haz de luz en que se mezclaba el nacer y el morir del día.

El silencio pesaba como un gran cuerpo. Sólo el jadeo de bestia y hombre. De pronto el silencio fue interrumpido por la exigencia del público. La luz no se colaba entre los de la lidia; toro y torero eran una sola masa desorbitada. Súbitamente, un cuerpo cayó, desgarrado, chorreando sangre oscura: era el hombre. Ese instante estuvo fuera del tiempo. El orden estaba trastrocado, rotos el mito y la ley. Prevaleció el caos antiguo.

Ayudantes, fotógrafos y público saltaron desde el tendido, junto al torero tendido en la arena. Y la mujer.

El hombre herido, desgarrado, se empeñaba en algo. Tal vez se aferraba al único mito que le quedaba, mito modesto y ramplón. Por fin pudo sacar su navaja de la faja y cortó un trozo de su capa. "Toma —dijo audible pero débilmente a la mujer—. Un relicario..." La mujer, torpemente lo guardó en el escote. Los fotógrafos insistíamos con nuestras luces ensañadas contra el sol.

Alguien, un adolescente, se abrió paso entre los otros. Recogió la espada caída, buscó con sus ojos al toro arrinconado, le dio la espalda y se enfrentó con la mujer. Tenía la mirada orgullosa del muerto, mirada de español. "Voy a matar —dijo— Ya tengo derecho a ser hombre". La mujer desvió la vista; me miró a mí.

Seguí mundo adelante, entre pueblos y ciudades. Fue al regresar a Nueva York, en la calle 42, cuando, al ver una multitud que se agolpaba por comprar no sé qué futesa, se me ocurrió la idea. Mi gente, capaz de conmoverse con las cosas de España, merecía algo auténtico.

Examiné las fotografías en colores del episodio de la Plaza de Toros. Eran muy buenas, algunas. Hice ampliaciones de las mejores. Había una del torero herido, otra del momento de cortar un trozo de la capa con la navaja, otra de ella en primer plano mirando el objetivo. Mandé hacer en metal unos marcos de medallón y bajo vidrio coloqué pequeños trozos de paño violetas y amarillos. En la plaza de Greenwich Village me instalé con mi mercadería y un letrero: "The true relicario for US/5 dollars".

Dado el éxito de la empresa, en la nueva remesa doblaré el precio.

LA ISLA

Bonita, y, caramba, tan pura. Cosa rara en esos tiempos. Y él la dejó allí, en su pisito de Barrio Parque, un
poco aislada, cuidando del padre, sin decirle que la quería. Ahora el padre acababa de morir. ¿La acecharían
los hombres? Ella sólo atinaría a decir *sí* o *no*, y eso no
era bastante para contener a los buitres. El avión volaba
demasiado lentamente. ¿O ese plomo líquido, hirvien-
te, era ya el río, el suyo, el del Plata? Jorge hizo el inven-
tario de un viaje —tres meses, trece aviones, treinta mi-
llones— para llegar a un saldo único; estaba enamorado
como cualquier idiota, lo había estado siempre y a lo
mejor había dejado pasar su oportunidad. Traía, del
Ponte Vecchio, un anillo que —ahora se daba cuenta—
era de compromiso. Del viaje anterior —hacía siete
años— su único aporte fue un papagayo de Fernando
Póo, sólo porque sabía pronunciar un nombre: Eurídice.

Euri no necesitó desplegarse en el espacio para saber
que quería a Jorge desde antes, desde siempre. Sin sor-
prenderse calzó el anillo cubriendo, justo, otro círculo
prefigurado en el anular; la cicatriz que le había dejado
la mordedura del papagayo de Fernando Póo.

—¿Tenemos que esperar todo un año, Euri?

Euri apoyó la barbilla en una mano y resonaron las
pulseritas de plata. Tal vez pensó que lo había esperado
mucho tiempo cuando contestó:

—Es triste casarse de luto.

Al probarse un camisón del ajuar, Euri notó unas
manchas apenas rosadas en la pierna izquierda. Su mé-
dico la acompañó a un especialista. Luego de algunas

vueltas verbales en que los médicos aseguraron que de momento Euri no era contagiosa, empezaron con las absurdas preguntas hasta que ella recordó la mordedura del papagayo desaparecido. Este hecho pareció apaciguarlos. Era, posiblemente el vehículo del mal. ¿Del mal? No, ella no tenía parientes cercanos. Y pensó en Jorge, aislado por ese parapeto de endiosamiento y de amor, alta nube que no podía rasgarse. ¿Por qué le daban a beber esto fuerte y oscuro? Los dos médicos frente a ella habían perdido la solemnidad; eran sólo unos hombres un poco tristes, silenciosos, ahora. Por fin el especialista habló, pero de su largo discurso Euri oyó una palabra sola. Una palabra de dos sílabas rastreras, como la lengua de una víbora: lepra.

Euri empezó a oscilar; nada era intenso, por lo contrario, una marea blanda la acogía. Intentaron darle aquello fuerte, otra vez, pero ella se negó. Quería oscilar así, con el mundo. El papagayo anaranjado y azul, dentro de su cráneo, repetía su nombre, deletreándolo. Los médicos seguían hablando entre sí. ¿De Paracelso? *Todas las enfermedades son curables. Habrá que delatarla.* No; dijeron *ficharla.* Y repetían que de momento no era contagiosa. La palabra giraba, como una calesita de colores. Repentinamente surgieron en sus adentros los oscuros relatos leídos con terror supersticioso:

Andrajos, procesión que pierde poco a poco la dramática envoltura de la carne, confundidos reyes y mendigos, malditos todos, ocultando las monstruosas cabezas bajo los capuchones, las llagas entre harapos, agitando sus campanillas, poblando las fosas destinadas a los muertos y mezclándose con ellos, agitándose entre ellos. Euri, pertenecía, sin duda a los muertos, porque a su alrededor —las paredes pobladas de desplegados diplomas, los libros en las bibliotecas—, todo estaba empequeñecido y ella, ahí sentada, era pequeña también, y estúpida, ajena a su destino, jugando allí, entre la camilla reluciente y el escritorio negro.

Los médicos seguían hablando entre sí; acaso la olvidaron. *La ficha estará lista... Yo ya lo sabía pero quise confirmar... Ratminsky, en ese caso del Clínicas...* De pronto se volvieron hacia ella, como si recordaran que uno de los casos estaba allí. Le aseguraron que no era contagiosa, que curaría si se sometía con larga paciencia al tratamiento, y la mandaron a su casa.

Había una sombra dibujando la paredes, que al agitarse, hacía resonar las pulseras de plata; esa sombra era ella, Euri. Debía asumir la realidad, tragarla, como a una medicina que iba a transformarla definitivamente. Ya estaba; la realidad y ella eran una misma cosa. Buscó, revolvió en la biblioteca de su padre y halló un libro sobre lepra y leproserías. La consumía una fiebre insensata por saber; leyó y leyó. Después corrió hasta el teléfono y marcó salvajemente las combinaciones de los números que conectaban con voces eficientes, acostumbradas a tratar con el horror y a sobrellevarlo. La palabra pronunciada por ella, rastrera y pequeña, fue la llave que abría y cerraba puertas o trampas, para siempre. Euri sintió el gusto amargo de poseer una clave, de poseer el poder. Al terminar los llamados pudo haber soltado el llanto, y esto la hubiera ayudado, y su plan tal vez hubiera naufragado o envejecido. Pero no cedió. Se bañó, se empolvó, se esmeró en su arreglo y fue a sentarse al sofá del living-room, fija la vista en el grabado de Sybilla Cumanna. Decían que se le parecía mucho. Pero Euri nunca profetizó ni previó que el futuro se cerraría, como una ventana tapiada, y que sólo quedaría un cuarto con cuatro paredes conocidas, el pasado, sin escape, sin biombos mágicos para esconder o engañar;

sólo cuatro paredes implacables. ¿Y qué? Ella había tenido días de dicha, sólo necesitaba un poco más, un momento eterno para cerrar el ciclo de una felicidad a cuyo torno podría girar hasta el fin. Tic, tac, decía el reloj sobre la chimenea apagada. Tic, tac, el tiempo estaba ahí, junto a la ventana, ocupando el lugar del futuro. Estaba allí, siempre igual, agazapado, golpeando, horadando. Euri tuvo miedo.

Sonó el timbre de la puerta de calle. Debían ser exactamente, las siete de la tarde.

—Euri, de blanco, es un buen augurio —dijo Jorge.

Se besaron. Con avaricia, Euri trataba de espiarse, de desdoblarse para almacenar minuciosamente recuerdos, para conservar instantes intactos. Se besaron con desesperación.

—Euri, podrías ser mía, ahora. Pero no. Sos la pureza. No.

—¿Por qué no?

Jorge dormía en el sofá. Con cuidado para no despertarlo Euri se desató de su abrazo.

En una valija puso las cosas más necesarias y escribió, en un papel, algo que no era una dirección; lo dejó sobre la cómoda, y, en puntas de pie, con la valija en la mano, salió. Tomó un taxímetro y esperó el amanecer sentada en un banco, junto a una mujer que dormía. Esa mañana salía el hidroavión, río arriba. Después trasbordaría para la isla.

Cuando el ardor del sol se adormecía y el río se acelestaba o se volvía rosado, los del lado norte del paredón salían de sus pabellones o de sus ranchos para verla pasar hacia la orilla.

La mujer blanca pasaba haciendo sonar sus pulseras de plata y se sentaba en un tronco, mirando el río. Si de pronto volvía la mirada hacia la isla, los rostros sin facciones se escondían o se mimetizaban con el cañaveral. Ella era hermosa, tenía la piel inmaculada, pero era leprosa como ellos, como la Virgen morena a quien besaban los pies cada domingo, en el altar de la capilla. Cuchicheaban entre sí. Irían, uno a uno, cada tarde, a besarle la orla del vestido y recibir su bendición; lo sacarían a sorteo, a golpes de taba. La suerte recayó sobre Avelino; sería el primero en el turno.

—No. Esperemos todavía —decidió el viejo Serapio, el que ya no tenía ojos y lo presentía todo. Sintió que no era bueno asustarla, y que ella debía acostumbrarse lentamente al horror.

Enroscada, la mejilla apoyada en la mano derecha, Euri no oyó el murmullo, a su espalda, confundido con el revolotear de los pájaros y los insectos que poblaban la maleza. Ella había empezado a destejer recuerdos, poco a poco; debían de durarle años: cuatro, o diez o toda la vida.

Hacía un mes, o dos, o más, que Euri habitaba la isla. El tiempo y el mal estaban detenidos. Y de pronto, quebrando el horizonte, apareció la lancha, avanzando.

Fue Serapio, el que ya no tenía ojos, quien la sintió primero. Después la vieron las mujeres —agrupadas, silenciosas, ocultas las caras por los rebozos, brillosas y ardientes las miradas— siempre frente al río.

Jorge desembarcó en la Prefectura. Los tres años de medicina cursados hacía tiempo y algunas recomendaciones sirvieron para que lo dejaran permanecer paredón adentro.

Euri había esperado el momento y lo había temido y deseado, antes. Ahora, alguien se inmiscuía en su mundo de recuerdos minuciosamente armados, en su ciudadela salvaguardada del tiempo, construida en el cenit, y de pronto, un vendaval lo desbarataba. Jorge, Jorge, su cuerpo, su voz, su mirada. Jorge estaba ahí. No, Euri no pensó en su mal —detenido, sin miras de avanzar—. Sólo pensó que no tenía rouge en los labios. Después se acordó de las escasas manchas en el cuerpo, atenuadas, que habían respetado la cara, el cuello, el pecho; ella era linda, linda. Todo su ser se trastornaba, como si pasara de golpe de la desolada y estática altura, hasta el fondo del mar.

Jorge estaba ahí, a su lado. Estaba siempre ahí, de anochecer a anochecer, y Euri debía aprender, de nuevo, lo que se había forzado en olvidar. Aprender a esperar y a temer, aprender a morir, cada día, de terror, y a nacer de felicidad.

Durante el día, Jorge se ocupaba de los intereses de la ìsla, daba inyecciones, ayudaba en el laboratorio, era útil y constructivo. Ahora podía pensar, sin sonrojarse, que era un gran muchacho; responsable, sobre todo responsable.

Él podría más que la fatalidad, qué diablos. Y no se estaba tan mal en la isla; por lo menos se podía ser independiente. En Buenos Aires todo se averigua, se sabe demasiado pronto. Y no es gracioso que la gente se entere de aquéllo que no le importa. Sintió rabia contra la ciudad, contra los amigos, con los que había comentado la calamidad que eran las mujeres. Él, en secreto, se había referido siempre a Euri. Recordó aquel primer viaje cuando trajo el papagayo de Fernando Póo. El chino Pérez, en el club, había dicho: —*A mí, en cuanto alguna empieza a gustarme en serio, agarro el primer barco que hay a la vista*. Y él había seguido el consejo. Jorge tenía entonces veintiún años y Euri dieciocho.

Además, por alguna razón, tal vez confusa, Jorge sabía que Euri quería quedarse en la isla. Aislados de todo lo demás, los dos. En ese momento la palabra *aislados* fue cobrando para él un sentido idílico.

Repentinamente Jorge se inquietó. ¿Qué pensaba ella, ahí, sentadita, la cara apoyada entre las manos, tan callada, a su lado? Se sintió un poco triste. A lo mejor ella pensaba en el cielo y en el infierno. Jorge miró las tacuaras de la orilla, agudas como rebenques azotando el dulce aire del río, y después la miró a ella, a Euri, exigiendo saber. Algo nubló el rostro de Euri, algo como la sombra de un ala. Después esa cara se aclaró, otra vez, más que antes, como purificada.

—Te quiero, Euri —dijo Jorge. Ya no quiso saber qué pensaba ella. Si había alguna culpa, era de él, por no haberle dicho antes que la quería. Y ahora, en vez de un castigo, estaban juntos, los dos. ¿No era esto, casi, tener buena suerte? Se quedaría en la isla, con ella. Acaso Orfeo no hubiera perdido la partida de haberse quedado. Él, Jorge, aguantaría y modificaría el mito. Y las cosas saldrían bien.

Y Euri y Jorge quedaron, cercados por el amor, como la isla estaba cercada por el río.

Una noche que en la isla se percibían los aromas de sus flores y el río copiaba el brillo de los astros, una noche en que la fealdad, la miseria y la muerte estaban escondidas, Jorge y Euri decidieron casarse allí, en la isla.

A la mañana siguiente llegaba el cura y hubo misa cantada en la capilla y trámites en la intendencia. Jorge pidió libros a Buenos Aires y se propuso continuar sus estudio de medicina y practicar en el laboratorio y en el hospital.

La isla se embellecía, por las noches. El río y el amor eran sus amos; el bochorno se transformaba lentamente en penetrantes, frescos aromas; se abrían las flores blancas y el río, en creciente, estrechaba el abrazo, penetraba el secreto de la tierra, de sus hierbas y sus hinchadas raíces.

A Euri y a Jorge les parecía que la exaltación de sus almas era el signo que regía a la isla, despierta a una vida mágica, en la noche. Cuando Euri se quedaba dormida Jorge la contemplaba aún, empalidecida por el resplandor de la luna. El chirrido de los grillos o una ráfaga de viento, lo llenaban de temor, y se levantaba a entornar la ventana o a entreabrirla, como un jardinero que pusiera todos sus cuidados en una gran flor única.

Pero con el amanecer renacían en la isla sus miserias y los días transcurrían lentos, pesados de agradecimiento, pensaba Euri.

Una tarde como todas, en que Jorge y Euri caminaban hacia el río, Jorge dijo:

—La cosa es estar juntos, aparte de todo el mundo, aislados, en cualquier parte que sea. Hasta aquí.

A ella le dolieron esas dos palabras: *Hasta aquí*.

De pronto a Jorge lo atravesó el presentimiento de que los pobladores de la isla lo envidiaban, que querían que se fuera. Esto le hizo sentir una alegría inconsciente, un poco infantil. Siguió andando, callado, con sus pensamientos incomunicables. Sólo su brazo tuvo un movimiento posesivo y rodeó a Euri por el talle. Con ella a su lado, tocándola, se sentía calmo, apaciguado.

Jorge levantó la vista para mirar el follaje, quieto contra el cielo profundo. Podría zambullirse en ese espacio, pensó. Y sintió una felicidad que dolía. Se volvió hacia Euri y la besó muchas veces, sin asomo de deseo, como si necesitara descansar. Sus sentimientos se iban diluyendo y ensanchando hasta transformarse en preocupación por el mundo, además de por ella, ese niño pequeño y misterioso al que era lindo besar y necesario proteger.

Empezaron a caer grandes gotas; Euri y Jorge corrieron hasta la casa, entre el ruido de la lluvia sobre las hojas y el sonar de las pulseras de plata. Quedaron allí, juntos, silenciosos, sentados en un escalón de la galería, viendo llover; Jorge estaba serio, grave. Tal vez pensaba que ese proceso de enfermedad era necesario para algún fin impenetrable.

Eran temas intransmitibles y fugaces que ya se le habían cruzado otras tardes y que él desechaba cuando pasaba la magia de la hora. Lo dejaban como vaciado. Se levantó y puso en el fonógrafo el disco que había recibido el día antes:

> *Give me*
> *A kiss before you leave me*

Euri siguió sentada en la galería, enroscada. Ahora Jorge estaba ahí, era suyo. Le pareció que para tenerlo fue preciso renunciar a algo. Era una transacción, sucia, como todas las transacciones. ¿Él, era feliz?

Se levantó y entró en la habitación. Jorge estaba junto al fonógrafo *A kiss to build a dream on*.

Euri se miró desnuda en el gran espejo del ropero. Su alma y su belleza, eran poca cosa. Sólo esos leves mapas sonrosados importaban, esas tenues, tiernas manchas en los muslos, aparentemente insignificantes, que la hacían distinta de las otras, inferior, incapaz de darle a él un amor sencillo, el amor que pueda dar cualquier otra.

La acometió un deseo desesperado por pagar alguna deuda remota, por expiar. Y lloró, lloró, se tiró al suelo, sollozando, rondando por la habitación, escondiendo la cara entre la cabellera desatada, frente al espejo, esperando algún consuelo impreciso, desesperándose porque el consuelo no llegaba.

Se levantó, de golpe, hizo la señal de la cruz y se cubrió, de prisa, levantando la vista, dando fugaces miradas a la ventana y hacia el espacio. Y empezó a rezar. Se vestía apresuradamente. Pero más que una sensación de agotamiento o de paz, nacía en ella una idea, mientras musitaba las sucesivas oraciones: ella tenía una misión que cumplir, una misión, una misión.

Esa tarde, como|todas las otras, estudiaría con Jorge, depués de la inyección. Como siempre, no haría caso del temblor, de la fiebre que le producía. Pero su misión no era junto a Jorge, no era para Jorge. A su lado se perdía en él, se diluía, pequeño mar recibiendo a caudaloso río. No, ella debía crecer para darse a los necesitados, a los desgraciados como ella. Agrandarse para ellos. Estableció tres días por semana para leer en voz alta a los asilados.

Empezó leyendo cuentos de Quiroga, los de niños, atisbando la reacción que producían, para atreverse, después con versículos del Evangelio de San Juan y de San Mateo. Crecía el número de leprosos que la escuchaban. Llegaban al atardecer y se acurrucaban en el suelo, arrodillados, algunos. Acudían unos cuantos niños, también, y viejas, escondidas las caras por los rebozos. Las otras mujeres miraban desde la orilla con desconfianza o con rencor.

Una tarde, durante la lectura, un chico de doce años se lastimó la frente; Euri lo besó. Al poco tiempo el chico, curado, dejaba la isla. Este episodio casual, ejecutado tal vez mecánicamente, dio mucho que hablar. Euri cobró fama de milagrera. Las mujeres de la costa fueron llegando una a una; antes de empezar la lectura rezaban una oración.

Euri se sentía un poco avergonzada, pero seguía con su misión. Los leprosos eran felices escuchándola. Exaltación, era lo que sentían, y comunicación con ella, con la naturaleza y con Dios. ¡*La niña Euri!*; ¡*ahora da vuelta la página!... ¡En el dedo lleva un anillo como una estrella!*

A veces, cuando las pulseras de plata resonaban, ellos bajaban la cabeza, como en misa, y seguramente esperaban un milagro. La mirada de Euri, al caer sobre ellos, los endulzaba por adentro, los suavizaba, como el mango y como la plata.

En el rancherío empezaron las peleas por ver a quién había correspondido, esa tarde, la mirada de Euri. Serapio el que ya no tenía ojos, apaciguó los ánimos.

Un atardecer en que Euri estaba leyendo, Jorge llegó más temprano que de costumbre. No, nunca hubiera pensado que su Euri, tan suave, tan calladita, poseyera ese don de persuadir. Se sintió orgulloso. Apoyado contra la columna de la galería, Jorge la miraba. Euri prodigaba la dosis necesaria de ilusiones a los infelices y eso estaba bien. Pero ¿qué diablos pasaba? ¿Él era invisible?

Euri seguía leyendo, ensimismada. De pronto Jorge supo que ella no solamente daba sino que recibía algo de los otros. Devoción o amor, tal vez, y ella lo incorporaba a sí, se nutría a costa de eso, como si la marea de una misma circulación los fortaleciera a todos, a los monstruos y a ella. La sintió extraña, ajena. Euri lo miró, por fin. ¿Había hostilidad en su mirada? Pero no, seguramente estaba equivocado. Él estaba cansado. Jorge pensó que estaba muy solo en esa isla del infierno. Ni siquiera los médicos lo consideraban algo más que un chico que juega a portarse bien, un intruso, en fin. Como si en la isla hubiera que llevar una patente de recomendación: vocación científica o misticismo o, en último caso, el sello de la enfermedad, como Euri. No se podía ser un buen muchacho, simplemente un hombre, como Dios manda. Si por lo menos Euri estuviera siempre a su lado en esas interminables recorridas por los pabellones, si pudiera comprimirla y ponerla en un tubito, en el bolsillo, como a una aspirina y tragarla cuando se sintiera deprimido. Porque él también era humano, caramba.

Jorge dio media vuelta, entró en el cuarto y se tiró en la cama, fumando un cigarrillo. Dejó la puerta entreabierta. Seguía viendo la escena, en su imaginación: Euri, con su belleza serena, un poco ausente, sentada en el escalón de la galería, frente al crepúsculo, y las caras carcomidas o aleonadas, tensas, ardientes las pupilas sin pestañas sobre ella, ensuciándola, embadurnándola de horror...

Ahora Jorge oía los pasos de la muchacha que los servía: contra la pared del cuarto se proyectó la luz de las cuatro velas del candelabro traído para iluminar a la lectora, agregando teatralidad a la escena, magia barata, y además, el olor a yerbas que se quemaban para espantar a los mosquitos, fuego sagrado subiendo en humareda desde los pies de la sacerdotisa. ¡Aj!... ¡qué bajeza!

Jorge se arrepintió un poco de sus pensamientos. Había perdido la costumbre de estar sin ella, eso era todo. Sintió rabia otra vez. Una mujer lo ablanda a un tipo, no hay qué hacer, pensó. ¿Qué leía, ella, ahora? ¿Un cuento de Poe? No, de Borges; claro, de Borges. Escuchó hasta el fin.

Se despertó azorado, había soñado que Euri no estaba, que la había perdido y él la buscaba, desesperado, en laberintos superpuestos, sin encontrarla.

Salió a la galería. Euri leía, ahora, salmos del Antiguo Testamento. Los rostros se agrandaban y emblanquecían bajo el resplandor de la luna ¿Cómo podía soportarlos, ella?

Jorge no sabía que Euri los engañaba desde las napas más profundas de su ser hasta lograr engañarse a sí misma: su sonrisa lujosa, y sus grandes ojos castaños eran sus aliados. Y logró cambiar asco por ternura.

—¿No te parece que ya leíste bastante, Euri? Son las nueve menos cuarto.

Fue esa noche, cuando Jorge interrumpió la lectura, que Euri tuvo el convencimiento de que los leprosos lo detestaban. La traspasó como un rayo la certidumbre de que la pedrada que Jorge recibió en la cabeza, después de la fiesta del domingo, no era un accidente casual. Euri se odió a sí misma por no haber adivinado antes. Quedó ahí, callada, frente a ellos, como si los viera por primera vez. El asco, la rabia, todo lo que se había prohibido sentir le subía en marejadas hasta la boca, hasta sofocarla, inmovilizándola allí. Repentinamente se levantó, tambaleándose como una sonámbula. Fue a la habitación y dio un portazo. Vio, desde la ventana, a los leprosos todavía allí, estáticos, asombrados, esperando; hubiera querido tirarles con sillas, con balas, a los enemigos, a los del bando del horror y de la fealdad.

En cambio se dejó caer en la cama y soltó el llanto.

Tal vez fue esa noche cuando las almas de Jorge y de Euri se comunicaron totalmente, por primera vez.

Euri estuvo machacando toda la noche y al otro día y al otro.

—¿Por qué no me lo dijiste, Jorge, que te habían herido a propósito, que querían matarte? No, no soy exagerada, era, sí, para matarte. Te detestan, no tienen ley, te... Y vos sos demasiado bueno, demasiado noble. No, si ya no hablo de ellos; sólo de nosotros. Claro, esto de escaparnos, de fugarnos como dos amantes no tiene nada que ver con ellos, los infelices. Esto es solamente nuestro y tan divertido. Los médicos están demasiado satisfechos con mi mejoría, con mi casi curación. Quieren la gloria para ellos. Declarar que estoy curada por ellos. Sí, si yo no digo que no sea de buena fe. Tal vez tengan miedo que saliendo de su órbita descuidemos el tratamiento, qué sé yo... A lo mejor desde su punto de vista, tienen razón. Pero nosotros no podemos más. Jorge, Jorge, me someteré a todo. Vos ya sabés mucho. Además no contagio, nunca he contagiado. Si pedimos el permiso, los trámites serán largos. No, ya sé que vos sos paciente, que no tenés miedo a nada. Ya sé que ni siquiera los denunciaste. No, no es eso... miedo, ¡qué ocurrencia! Asco, más bien, sí, asco. ¡Basta! Te sacrificaste demasiado. Amor, amor mío, basta ya, amor. Como dos amantes...

El botero, contratado por Jorge, debía llegar a medianoche. La casita no quedaba lejos de la orilla; Jorge y Euri sólo llevaron sus valijas de mano.

El río en la noche sin luna, era un gran ojo oscuro, espiando, pero el bote estaba ahí y era su cómplice y era la promesa, también la libertad.

Jorge y Euri no volvieron la vista hacia atrás. Iban hacia el río, de la mano, como la primera pareja del mundo, inconscientes de toda esa vida que moría a cada uno de sus pasos; avanzaban mirando hacia adelante, ancho horizonte sin islas malditas.

El infierno quedaba a sus espaldas: cañaveral, paredón dividiendo, monte de engañosos arbustos. Quedaba a sus espaldas y añadía a su respiración vegetal otra distinta... Pero no; no había por qué preocuparse; eran sus plantas carnívoras y sus insectos y los brazos de sus enredaderas.

Jorge y Euri avanzaban entre los troncos, entre las ramas que señalaban, entre las maderas petrificadas como huesos y las miradas fijas de los pájaros oscuros y las otras, denunciadoras, de las luciérnagas. El cañaveral se estiraba como si quisiera avanzar con ellos.

Repentinamente Euri lo sintió. Las caras estaban ahí, quietas, hinchadas, blancas como lunas bajas, menores,

58

y los brazos entumecidos se crispaban y las alimañas eran manos que los precedían, y las bocas, abiertas, silenciosas, se torcían, se desesperaban.

O tal vez Euri estaba equivocada y eran solamente visiones de la noche; espinillos encorvados como fantasmas humildes, murciélagos disfrazados con el dominó del diablo.

El rumor crecía y se ahogaba en un silencio rencoroso. ¿Por qué no gemían las lechuzas, ahora, y el bote oscilaba aún sin amarrarse a las ramazones negras? Y repentinamente todos los silencios reventaron en un grito:

—La niña Euri se va...

Era una voz de mujer, histérica estridente. Después el clamor cundió por la isla, flotó por el río como un alga verde y podrida.

—¡Se va la niña Eurídice!

La noche se enverdecía y las lunas se arrastraban gimiendo: ¡*Euri*!, imprecando: *La niña Eurídice es nuestra, es como nosotros. No nos la llevará.*

Euri quería agarrarse a él, no soltarlo más, pero algo corrompido se lo llevaba, o él se adelantaba, sin duda para abrirle paso, pero se alejaba y ella no podía seguirlo, estaba anclada al suelo, como un árbol, amarrada de raíz, agitando inútilmente los brazos y los ojos. Y eso que la sujetaba, que la claveteaba tenía un nombre, Avelino, arrodillado, tironeándola por la falda, inmovilizándola por los pies.

—¡Jorge, Jorge!

Jorge la vio, ahí, prisionera, y volvía. ¿Por qué pegaba así, a todos lados, hasta descargar su furia contra eso pequeño, servil arrodillado, Avelino, hasta obligarlo a doblarse y caer boca abajo, en el barro? Alguna fuerza remota, infantil y feroz impulsaba a Jorge, lo hacía estar contento de pegar, de maltratar a la fealdad, a la debilidad y a la miseria; ser el mejor, el más fuerte lo nublaba, lo embriagaba.

—¡Sangre! —resonó el grito y se agrandó, tuvo ecos oscuros y rabiosos—. Sangre...

Surgieron más y más leprosos, una comparsa de máscaras con enanos, gigantes y cabezones; y ellos dos, Euri y Jorge, estaban apretados por la comparsa, empobrecidos, eran la isla mientras los otros se hinchaban, se erguían, enormes camalotes que se habían bebido el río.

—¡Jorge!

Jorge seguía golpeando pero sus puñetazos eran inútiles, ya, contra esa carroña que crecía, que invadía todo con la pasividad de sus cuerpos insensibles, casi un solo cuerpo inmenso, cenagoso.

Jorge la miraba a ella, desde lejos. Euri, su mujer, pálida, quieta, sin luchar entre esa masa creciente. Se vio a sí mismo peleando a ciegas contra algo resbaloso, sin rostro a fuerza de rostros, contra ese gran mostruo de manos escamosas, blancuzcas... luchando contra un submundo de enfermedad, contra lo horrible. Había que restablecer el imperio del orden, el de la cordura, de la estabilidad. Sacó el revólver y apuntó al aire.

Sonó un tiro, y otro, y otro.

—¡Asesino, asesino! ¡Fuera, fuera, fuera! —gritaban los leprosos.

Euri lo vio como si hubiera sido la primera vez que lo miraba, él, Jorge, colérico y hermoso como un dios extraño, tan alto, tan fuerte contra todos, tan claro contra la noche, sin condescender, solamente un dios, limpio y cruel contra ese mundo oscuro, sucio, con isla caliente y río resignado y hombres marcados de ojos hambrientos. Lo vio como a un extraño, asqueado y sólido; ninguna de las miserias o apremios o desesperaciones podrían penetrarlo. Él era demasiado fuerte para entender, demasiado macizo para entremezclarse a ese mundo vulnerable.

Y mientras las horribles criaturas se arrodillaban a los pies de ella recitando salmos que, a lo mejor, ella les había enseñado y quedaban ahí, sin miedo de balas, sólo vivos a medias, mientras le tironeaban los vestidos y la salpicaban con su soplo y con su hedor, en ella, Eurídice, se aguzó el sentido de su destino. Ella pertenecía a esta isla con hombres y mujeres desesperanzados; ella tenía que seguir prometiendo para después. No podía defraudarlos, no podía huir en la noche, no podía naufragar como una isla-fantasma sin dejarles algo, no sabía qué, tal vez algo que no les había dado todavía, algo de que no había hablado, y no sabía hablar, aún.

Sólo sabía que no podía abandonarlos para ir a incorporarse a la tierra que no la quería, esa tierra atada a todas las otras tierras, sin escape; al mundo que la expulsó, el que juzga y condena y clasifica y ficha y tiene asco.

Él, Jorge, pertenecía a esa tierra encadenada, enconada, sólida. Ahora veía sus espaldas grandes y fuertes, capaces de sobrellevar todo, de dar la espalda a todo, todo, menos el asco estampado en su rostro, ese rostro que ya no distinguía, pero lo vio siempre estampado en él; desde que llegó a la isla vio como ese asco suplantaba a la pasión momentánea, como se agazapaba detrás de la ternura, agusanado, sí, vio siempre la mueca demasiado dulce, el asco, mientras ella lo adoraba o lo temía y usufructuaba su bondad y no podía sobrellevar esa piedad con que él la agobiaba. Sí, él podía prodigar todo eso porque era sano y hermoso, pero ella, ella, nunca pudo darle más que lástima por más que se esforzara y se desesperara por arrancarle una sonrisa o un poco de inquietud...

Euri sintió un sacudimiento, adentro, un terremoto de todo su ser —¡Jorge, Jorge!—, y lloró, lloró a gritos, hasta tironearse el pelo, hasta reír y saltar como si bailara y machacara su propio cadáver.

—Jorge, que se vaya —gritó—, ¡No puedo más! ¡Que se vaya! ¡Que me deje!

Tomó un puñado de barro, después otro, otro y lo tiró al aire, y después a él, a él.

—¡Que se vaya! ¡Que me deje sola! ¡Sola!

—¿Euri, vos también sos como ellos? —la voz de Jorge parecía llegar desde muy lejos.

—Sí, como ellos. ¡Fuera!

Un puñado de barro lo alcanzó en el pecho.

—Desde que está sola, la niña Eurídice nos cuenta historias, todos los días. Y son más largas.

—Lindas historias de Dios que sucedieron de verdad.

—Pero ya no mira el río, a las tardes. Nunca mira el río.

Y Serapio, el que no tiene ojos, agregó:

—No hay más río. Isla, no más.

CON PASIÓN

LO LLAMÁBAMOS hotel, pero más bien era una quinta bastante aislada en las sierras de Córdoba donde la rusa ejercía su idea personal del paraíso. Claro está, era la patrona, podía imponer su ritmo vital y seleccionar sus huéspedes. Así logró hacer del lugar algo estimulante en las mañanas, sereno al atardecer y misterioso en la noche. Pero el huésped que a mí me preocupaba estaba ajeno a las mutaciones. Reinaba en la estática soledad de su catástrofe. Y sin embargo algo en él hacía sospechar que pertenecía a la raza de los invencibles. Advertí, a pesar del entumecimiento de sus centros nerviosos, una chispa de humor inteligente en el fondo de sus pupilas celestes semiciegas.

Era una mole imponente, silenciosa como un aparecido. Tal vez ya habitaba otros mundos invisibles. Pero yo insistía, me obsesionaba por comunicarme con él. Probé de hacerlo en inglés y pude rescatar algunas palabras: trópico, paracaídas, panteras, España, Hemingway. Imágenes que habrían sido deslumbrantes pero quedaban petrificadas como estalactitas.

Yo acortaba las cabalgatas, los baños en el arroyo torrentoso, hasta los bailes de la noche, para llegar al rincón de la galería donde la mole esperaba. ¿Esperaba qué? Derecho en su asiento, siempre pulcro en su apariencia, acaso sostenido por su rigidez, plácido el semblante, quizá meditaba. Del otro lado de esa galería quedaban los proyectos, el amor y la estabilidad. En ese rincón el presente era el inmutable poseedor de las llaves de las puertas secretas.

Una tarde, al alejarme de allí sorprendí a la rusa de

63

pie en un montículo, rodeada de gatos. Permanecí quieta, observando. No era un montículo; ella y los gatos estaban sostenidos, un poco más arriba de la tierra apisonada solamente por el aire. Entre las presencias y el suelo mediaba un estrecho espacio de luz. Algunos gatos avanzaban hacia la mujer, blandamente apoyados en la nada. Ella permanecía quieta y silenciosa.

En ese momento tuve la sensación de que todo cuanto hasta entonces me había impresionado era sólo una pesadilla. Calles de Buenos Aires abigarradas de individuos jadeantes, unos hacia el norte, otros hacia el sur, obedeciendo a dioses caprichosos, manicomios, cárceles, y en el norte ardiente y helado, las montañas abiertas y sangrando para que mineros oscuros dejen vida a cambio de metales enceguecedores entre las sombras. ¿Malos sueños viejos? La temible y deslumbrante realidad presente era ese temblor de luz precaria del que formaban parte árboles, insectos, mujer y gatos libres de la tiranía de la gravitación. Y yo asomada a una hendija por donde podía atisbar. ¿Y el héroe de la galería? ¿Dije héroe? Surgió en mí la imagen de mi padre. Recordé cosas antiguas: esos chicos hacinados en un zaguán, el perro que vimos morir. Comprendí que mi padre, como yo, se dejaba invadir por eso dulce, un poco pegajoso, blando que nos va suavizando, horadando: la compasión.

La rusa se dio vuelta. Creí que no había notado mi presencia, pero me habló como si siguiera mi pensamiento. —Fue un héroe de la guerra, gaseado. Se va desintegrando lentamente. Ahora el fin está cercano. Allí en ese chalet, al otro lado de la ladera, viven unos ingleses. Buena gente, espero que lo aceptarán.

Tuve un vértigo; me apoyé contra un tronco. Pasó una luciérnaga, ya la noche intentaba protegernos. La rusa, sentada en un banco, ahora, estaba un poco encorvada como dejándose devorar por las leyes de la tierra. Los gatos empezaron a dispersarse. Un aire muy tierno iba subiendo desde el valle. La magnolia esparcía su aroma de gran flor carnal. —He tenido una alucinación —me dije con rabia—. Seguí por la ladera. Sí, las cosas funcionaban regularmente. Juan se decidiría. Nos casaríamos. Todo andaba tan bien. ¿A qué venía ese asomarse a las zonas prohibidas? Me senté en un medio tronco, entre árboles. El olor de las hojas y de la noche me llegó como una lluvia cálida que sin embargo da escalofríos. El zumbar de los insectos y el canto del último pájaro apresuraban la muerte de ese día. Todo era suave y tan grande. Uno de los gatos me había seguido. Estaba inmóvil y poderoso. Me clavó sus pupilas cómplices. Miré alrededor. Todo el bosque estaba absorbido por su quehacer secreto. Un héroe gaseado. El cielo se había vuelto violeta, ahora. Por el tronco se pegaba una araña brillante, pobre, implacable. El asesinato del mundo era ritual, tranquilo. La muerte era el cumplimiento de las promesas y transformaciones. Sentí asco y al mismo tiempo una plenitud de belleza apetecible, ineludible. Aquel clisé fijado me sobresaltó; chicos hacinados en un zaguán. Y una palabra: hambre. Lo dije en voz alta para despertarme. Pero mi compasión se había vuelto ardiente y estaba absorbida, cercada por un solo objeto: la mole de la galería. —Necesito darte mis sentidos, dones, vidamor —me dije—. La muerte ya era la amiga íntima y necesaria de la vida.

Las flores del aire se retorcían sobre los troncos, oprimiéndolos; la laguna exhalaba su olor dulce hasta no poder más. La descomposición respiraba, vivía junto a mí, era torturantemente buena y perfumaba toda la noche; yo estaba embriagada por ella y mi gran compasión ya era violenta, anhelante, creciente como la luna. Todo ese mundo invisible donde las transformaciones eran milagros cotidianos, era mi aliado.

Me levanté sonámbula. La primera estrella me guiaba. Corrí hasta la galería.

Él estaba en el rincón como siempre. Pero no era como siempre. Ahora yo lo amaba y sabía que lo amaba. Intenté decírselo. Nos iríamos lejos, a la montaña, juntos. Lo abracé con pasión, con dolor, con placer, como si abrazara al mundo dolido deseable, con misterios y renacimientos. Él era tan grande, fuerte, vulnerable árbol inmóvil, olor a saco de tweed, pasión, héroe que pronto iba a morir.

Con dificultad él logró decir: ¿Es la despedida?

El peligro ha pasado. Juan había contemplado la escena desde el otro lado de la galería y me rescató. Me admira aún por ese impulso de terrible y fallida compasión. Yo me desprecio; la vergüenza me acorrala. ¿La felicidad? Nunca más he podido atisbar un milagro.

MIEDO A VALPARAÍSO

Solamente la atisbaban por las tardes, cuando la ciudad se erguía alta y encendida sobre el mar, con sus paisajes de biombo para esconder a un dios prohibido.

Los amantes iban hasta ella desde Viña del Mar donde reposaban o se amaban repitiendo el gesto antiguo para intentar fundirse uno en el otro sin conseguirlo.

Casi a mediodía vestían sus ropas con premura y volvían la espalda a la playa y al grave mar indiferente. Sólo se dejaban traspasar por él cuando masticaban los moluscos viscosos y vivos. Luego emprendían la marcha a la ciudad, ya ciegos y sordos el uno para el otro.

Llegaban a Valparaíso a la hora en que se cubría con el polvo de oro y de pecado. Juanita y las otras muchachas alegres de profesión se asomaban a los balcones de las casillas que mordían las montañas y hacían relucir sus anillos y sus miradas pegajosas.

Al principio de la tarde aún podían percibirse algunas grietas y rencores en la montaña y las muchachas, pero al llegar el ocaso, el mar volvíase violentamente violeta, sólo se destacaban, arriba, los malvones desafiantes por purpúreos y abajo, los aretes, anillos y mirada de las muchachas ahora refulgentes como los espejismos de la sed.

Ellas y Valparaíso se entremezclaban con el sol poniente y después, con la noche que todo lo hermana, mientras bajo los balcones pasaban y repasaban los marineros —Valparaíso es el primer puerto del Pacífico después de muchos nudos de navegación—, algunos tenían la mirada celeste-cielo-sucio-alucinado ¿y qué? de marinero de Valparaíso.

Todo huele a paraíso y a rencor, a agua de olor de muchachas, a moluscos de antes de la vida terrestre, y a sones de acordeón mojado por el vino del ayer para que rime con un temblor sin importancia. Es bueno beber y comer Valparaíso solo, sin pan. El Pacífico grave espera su turno porque sabe que él permanecerá y Valparaíso quién sabe.

Llegan a Valparaíso por tres días y bajo el balcón de Juanita al atardecer, se quedan para siempre los marineros fugaces y los mineros del otro lado de la montaña.

Pero ellos, los amantes juiciosos, cada noche regresan de Valparaíso, aunque ella llore por su Valparaíso perdido. Pero los dos sabían que quedarse era correr el riesgo de ser ellos mismos. También sabían que Rimbaud se había quedado para librarse de ese que creyó que era. Permanecer en Valparaíso significaba hundirse y contemplar, morir y salir a la superficie otra vez, y eso está prohibido, porque no debe hacerse el ensayo de morir sin quedar aniquilado.

Ella pensaba que sólo en esa ciudad podía intentar la gran aventura de ser otra, la verdadera, hasta la hez del amor y la muerte, que podía jugarse toda la vida con sus cielos y sus infiernos, en un portal o en el cuarto de Juanita y de las otras, con marineros tatuados. Y saltar y caer sin medir lo recuperable; llegar a la vida-límite-miasma-serpentina, con gusto del primer acoplamiento del mundo con la nada.

Pero él la arrastraba —¡Vamos, Marina!— cada noche de vuelta de Valparaíso. Y al fin regresaron a Buenos Aires, bien al sur, en la esquina más segura de la estabilidad.

Pasaron años o meses. Poco podían hablar de Valparaíso porque vivían juntos sin indagarse: eran marido y mujer. La ocupación los liberaba del compromiso.

De pronto a él lo nombraron congresal de la cibernética en la ciudad de Santiago y allí se trasladaron.

El ascensor del Grand Hotel estaba en combinación con la cibernética, es decir, con el pilotaje sin piloto. La señora del congresal mayor aprieta un botón, 7 botones, 17 botones y observa suspicaz la boina de Marina tejida en punto arroz.

—¿Me presta su boina, Marina? Quiero copiar el punto. ¿No me oye, Marina?

—Ah, claro. (Pensando en Valparaíso se libera de la boina y la pasa a la señora ávida.)

Marina, Marina, Marina (in mente se nombra a sí misma). Los egipcios repetían su propio nombre antes de morir para no perder su identidad. ¿Y si ella repitiera otros nombres, Marta, Mariana, Martina? En un piso cualquiera se abre una ventana. Su identidad... ¿no habrá quedado en la boina tejida con las dimensiones justas de su cabeza? Siente la libertad bajo su pelo esparciéndose... Ahora el ascensor pasa frente a la ráfaga que obedece una orden del mar. Ella abre la puerta y salta al piso con ventana abierta, mientras la señora sigue enjaulada, cibernetizada, subiendo, bajando...

—¡Marina, Marina, se ha equivocado de piso! ¡Marina, Marina!

No, ella no puede responder a esa imagen de Marina concebida para otra. Ya se ha desprendido de su nombre tejido a medida. Recuerdos recién nacidos se le agolpan hasta la boca, la ahogan, y los otros, los viejos pedazos rotos de recuerdos ajenos, ya se escapan por la ventana.

—¡Maritza, Maritza! —oye desde lejos—. ¿De quién es esa voz tan patéticamente joven? Un muchacho va acercándose, ya está junto a ella —¡Maritza!, el nombre es una explosión de colores, se cuela en ella, le estalla adentro. Cierra los ojos y va reconociéndolo y reconociéndose: la compasión antigua, el deseo nuevo, el abismo del mal y la luz intocada. Todo está allí enmarcado por la ventana, es Valparaíso con otro tiempo sopesado por otro pesador, suspendido por contrapesas de extrañas dimensiones.

Pero allí también está Juanita y los marineros tatuados y las otras, todo adentro de sus párpados cerrados. Una ráfaga caliente, desde el valle, le ordena que enrosque su falda a la altura de la cintura, que muestre las rodillas y los muslos.

Ahora van multiplicándose los puntitos de la promesa adentro de sus pupilas. Y otra vez la voz patética y oscura por joven:

—Te lo devuelvo, Maritza, vengo a devolverte tu Valparaíso perdido.

Ella fue Marina cibernetizada, la de la boina tejida en punto arroz. Intenta explicar.

—Yo no soy yo. Yo soy la de...

Él le hunde la boca con su boca.

—¡Ah, tus ojeras inconfundibles, Maritza, tu palidez! Y tu piel que huele a polvos de arroz. Maritza, te lo devuelvo. Te lo prometí. Vamos a Valparaíso, ahora. Te busqué por siglos y al fin te encuentro.

Va hacia arriba, hacia abajo la señora cibernetizada en su ascensor.

—Marina, Marina, su boina, se la devuelvo, abra la puerta, yo no puedo. ¡Marina!

Él la besaba.

Los ángeles disfrazados de Valparaíso acaso no los acepten así, sin disfraz. De pronto, por el otro lado de la ventana ella se ve pasar, alejarse. Es Marina sin mirada. Si estuviera de frente, acaso podría ser la muerte, pero va de perfil, ahora le vuelve la espalda. Maritza se pega al cuerpo del joven que la estrecha, porque tiene miedo, porque necesita vivir. Pero sabe que no se debe mirar lo prohibido. Cierra los ojos.

Ya están en Valparaíso, con la exaltación al alcance de la yema del dedo de Saturno. El mar espera, grave, y paciente, con su fondo seguro, el único que se podría tocar.

Los ángeles de Valparaíso, encargados de rechazar lo muerto, acogen a los amantes nuevos y abren sus alas de papel. Lunas atroces espejan sus rostros que fueron otros rostros.

Todo lo deseado y vedado los elige en un instante en que los dos amantes son uno y también todo o ninguno. Ellos contrarían la ley de saturación para formar parte del Instituto de Acostumbrarse a no Acostumbrarse. Y siguen a los marineros de ojos cielo-ensuciado hasta los sótanos y las cavernas y a la grieta en lo alto de la montaña. Sus habitantes fueron mineros, ahora son los hombres del sueño; cada equinoccio despiertan al frenesí y llaman a Juanita y a las otras infernales benefactoras para entregarse con ellas al flujo de las rondas del alegre mal.

Marineros desnudos, extraños en las alturas de la tierra, caen después de abrevar la droga del placer de la montaña. Los hombres del sueño prosiguen con sus ritos mezclados; hosannas y blasfemias in crescendo hasta inmolar a uno de ellos, el que se ha equivocado al elegir a la virgen.

—¡Maritza, Maritza, contigo se equivocan siempre! Pero yo te reconocí. Eres Valparaíso —dice el amante.

—No te apenes, Maritza, el minero del sueño ya pertenecía al valle de los muertos, antes de morir —dice un marinero.

—Maritza, has recibido tres honores en uno, como los productos aglutinantes —dice Juanita—. Primer honor: por tí ha muerto un hombre. Segundo honor: te creyó virgen. Tercer honor: comprobó que no lo eras. —Y Juanita rió.

—Maritza, monta el caballo sagrado.

—Eres Lady Godiva. Pero tu caballo es negro.

Con un trueno artificial irrumpen los carabineros del valle, rompen los círculos y las rondas, vejan los cántaros y el maleficio. Ahora apuntan con sus carabinas y obligan a todos a rodar montaña abajo.

Caer más, más aprisa. Ahí van los amantes, sin mirada de ángeles disfrazados sobre sí, ya se entremezclan con los marineros de ojos ensuciados, con Juanita y las otras muchachas maculadas, alegres de profesión. Caer, rodar por la ladera, hasta la ciudad, hondo, hasta la cárcel de Valparaíso.

Los carabineros echan paladas de arena y tapian con cemento las puertas y ventanas de la cárcel que está allí abajo, a la altura del grave mar paciente por ahora. Es la cárcel de piedra y todos ellos son sus presidiarios, aunque griten y mezclen sus lamentos, risas, aullidos, con el lenguaje del mar y el viejo olor a caldillo de congrio y a carroña sazonada con la yerba violenta de la montaña embestida por los cuernos de crustáceos en celo.

Pero más arriba de la ventana tapiada está la claraboya: Maritza la descubre, ve el polvo de oro mucho más oro, la lejanía mucho más azul, y por fin los murallones, las torres, la dimensión de la ciudad sagrada, el Valparaíso luminoso que espeja el otro Valparaíso, vulnerable o imitación que sólo lo copia, como la quincalla a la joya verdadera.

Maritza va transformándose mientras la visión la penetra. Sólo es esencial contemplar.

—Esta cárcel es un infierno —dice un marinero.

—Podría ser la secreta libertad —agrega Juanita, tristemente.

—Es el límite vida-muerte —susurra el minero del sueño que no pudo escapar a su grieta en la montaña.

—¿Quién es esta mujer que antes era Maritza? Está

como iluminada por dentro —dice alguno.

—¿Qué mira? —dice otro—. Parece alucinada, como si hubiera nacido hoy y se extrañara.

—¿Nacida en esta cárcel? ¡Pst! Antes era Maritza. Sólo mira la hendija de la claraboya.

—¿Dónde dejaste a Maritza? —implora el amante desolado—. ¿Dónde? —y la busca por los rincones.

—¿Y aquella Marina de antaño? Tienes que dar cuenta de ella —murmura el hombre del sueño rezagado—. Yo la vi cuando los mineros presentamos nuestra queja al congreso de la cibernética, en el Grand Hotel. Y algo me dice que ella y tu...

—No se qué mira y qué ve —dice otro marinero—. Pero esta mujer parece una vela izada hacia el Este. Se le transparenta el primer sol.

—¿Y tú, Juanita, ves algo allí en la claraboya?

—No, pero veo a la que ve.

—Es como la luna —dice el marinero de ojos cielo-ensuciado.

—La luz la ha bañado y ella la refleja y nos la da. ¿Ven? Ya todo es más claro.

—¿Dónde está Maritza, dónde? —sigue el amante como una letanía.

—¡Milagro! —exclama Juanita—. ¡Milagro! Es María de Valparaíso.

Pero los otros desconfían. —Habrá que denunciarla. Sólo una bruja puede iluminarse así. Que ella diga quién es.

—Yo no soy. Pero soy ustedes también, y soy nadie. Sólo existe la ciudad, el verdadero Valparaíso —y señala la claraboya.

—Veo una sombra que se aleja, ¡lejos, lejos... Maritzaaaaaa! —grita el amante.

Ella sabe que no entrarán en la ciudad sagrada. No lo pretende, tampoco. Sólo el maravilloso bien de contemplar ese Valparaíso que nada tiene que ver con las leyes conocidas, nada con la necesidad, el placer, la sed y el desconsuelo.

—Si ves una ciudad, muéstrala —dice uno—. Si yo no la veo no existe.

—Nunca me viste a mí —responde Juanita—. ¡Qué vas a ver un milagro!

—Me robó a mi amada, a Maritza —aulla el amante, señalándola.

—Esta mujer es distinta. Si es distinta es una impostora. Si es una impostora hay que lincharla.

—¡Milagro! —exclama Juanita—. ¡Está fecundada por el Esplendor!

—Hosanna —claman las muchachas—. Es María del Valparaíso.

—¡Lincharla! ¡Que muera!

—¡Milagro!

Llegan los carabineros y lentamente empiezan a tapiar también la claraboya.

EL ABRA

En medio del abra, ya semiinvadida de malezas, en el campo de los Mendihondo, se puede ver una tapera de dos piezas corridas y galería a los lados, con techo de zinc donde el sol se apoya con saña.

El abra, de una legua escasa, está rodeada por la selva de Misiones que, como un nudo corredizo, en cualquier momento podría estrangularla. Es una isla seca esa abra a la que solamente llegan, a veces, ñanduces o monos, o, muy de cuando en cuando, un chasque que, como yo, por alguna razón de pobreza, se aventura a cruzar la selva y el páramo de tierra colorada.

En un tiempo la tapera del abra estuvo blanqueada y el campito poblado por algunos vacunos. Un pozo exiguo, con una mula atada a la noria, era la única provisión de agua. De las vigas del techo de la galería colgaba la hamaca paraguaya, y, en ella, estirada, una mujer morena de miembros cortos y redondeados que se abanicaba con una pantalla de junco. A pesar del tinte mate de su piel, no parecía del país; la sombra exagerada de sus ojeras acusaba kohl. Se cubría con un vestido claro que dejaba transparentar sus formas pronunciadas. La hamaca se ondulaba con el peso de esa figura pequeña y maciza. Alrededor de ella se formaba un vapor confuso, una especie de orla o halo. Pero quizás era sólo la nube oscilante de moscas y mosquitos.

Don Alcibiades la había traído de Oberá, una noche, y ahí se había quedado. No la llamaba por ningún nombre, solamente *eh*, *decí*, *mirá*. Tenía un nombre difícil de pronunciar. Ella había creído que ese hombre barbudo, con ojos muertos, movimientos rápidos y una rastra emparchada de plata, la hubiera llevado a ciudades con ferias y ruedas que vuelan por el aire, o a campamentos donde se escuchan las fanfarras lejanas, y la caña, en cantimploras, rueda de boca en boca, suavemente hinchada por los votos secretos de muchos hombres, al anochecer.

Se quedaron ahí, sin una guitarra ni un perro. Después, él conchabó al Ciro, el peón. El peón, además de arrear los animales al bebedero, castrar y carnear de cuando en cuando, hacía la comida, cebaba el mate y a veces lavaba la ropa. También cargaba con la hamaca de una a otra galería, con o sin la mujer adentro, en busca de sombra. Hablaba poco; contra el último pilar de la galería, se quedaba por las noches apartado y oscuro. Como no pitaba, sólo se percibía, muy de cuando en cuando, el brillo de sus ojos encandilados. Las estrellas brillaban fuerte en la gran noche, pero más allá, al raso.

Don Alcibiades, ya en el oscuro, tiraba el pucho y se acercaba a la hamaca. Se quedaba ahí un buen rato, de pie. De pronto cargaba con la mujer hacia la pieza.

Muy de mañana cebaba el Ciro. La mujer ya estaba en la hamaca otra vez, como si no se hubiera movido, abanicándose eternamente, con los ojos sombreados de kohl. La expresión de esa cara era igual a la de muchas mujeres que se encuentran en el pueblo o las ciudades: una máscara de melancolía o de tedio y detrás de la máscara, nada.

El Ciro le pasaba el mate en cuclillas, la pava un poco más allá, en la tierra roja, y, prosternado, le ofrecía un cigarro de chala, una fruta o una perdiz traída de la laguna, a quince leguas. El patrón se prendía la rastra de plata y observaba desde adentro, afinados los labios resecos. El muchacho era duro para el trabajo y rendidor. Le iba cobrando ley.

Una madrugada en que la mujer estaba comiendo las

frutas de las palmeras invisibles, por lejanas, vio una culebra y le tiró a la cabeza, como tantas veces lo hiciera con el revólver que estaba ahí nomás, en la hamaca. Don Alcibiades salió de la pieza.

—Buen tiro, che. Te premiaré por la puntería. Me voy pa la feria arreando los novillitos; te traeré la blusa.

—¿Lo acompaño, patrón? —preguntó el Ciro.

—No.

Don Alcibiades añadió, dirigiéndose a la mujer:

—Te queda un tiro. Es bastante pa vos. —Y se fue.

No cambió la máscara ambigua en el rostro de ella.

El Ciro montó la yegua y salió a recorrer el campito, como siempre, arreó de la selva a tres vacas alzadas, curó a un ternero abichado, libró a otros de uras y garrapatas y acomodó las ramazones que servían de alambrado. Cuando volvió a las casas empezó con la fajina doméstica: prendió fuego para el asado, entre la polvareda y el viento; en cuclillas, como siempre, miraba de reojo a la mujer. Ella se desperezó, después se desprendió la blusa, como si la botonadura le lastimara el pecho. Estirada en la hamaca, abanicándose, su rostro permanecía impasible; sólo el cuerpo, en ondulaciones sobre la red, cambiaba, se multiplicaba en su aleteo, como si muchos peces submarinos y brillantes se debatieran en una atmósfera antinatural, en intentos inútiles, un poco monstruosos. Y en todo había una belleza remota y agresiva. El Ciro fue acercándose despacio, silencioso, de rodillas, y empezó a acariciar la mano que colgaba fuera de la red. La mano se alzó hasta el pecho y con ella arrastró a la otra mano. El Ciro saltó sobre la red, alucinado, desesperado, como una tormenta que se desencadena. Y su sudor caliente se mezcló a las sales profundas y por fin el secreto del mundo fue revelado. La mujer entreabrió los labios. Una paz corpórea, blanca, se elevó sobre la tierra rojiza, sin pájaros. Un grito de la mujer la ahuyentó de pronto. Sonó un tiro y el Ciro, en un estertor rígido, cayó hacia afuera, sobre la tierra apisonada, bajo la hamaca.

—No me esperaban tan pronto, ¿eh? —Y después: —No lo hice caer encima tuyo, no te podés quejar.

Alcibiades se acercó y metiendo el revólver en el cinto tomó los bordes de la hamaca, empezando por arriba, y fue cerrándola sobre ella, trenzándola con el lazo. La mujer estaba quieta, callada, abiertos los ojos sin mirar, bajo la soga que iba cerrándose, primero sobre su cara, todo a lo largo de su cuerpo, después. Él trabajaba conscienzudamente, práctico en la tarea con el lazo. Terminó en lo alto, en el lado de los pies, con un gran nudo doble.

Ella no sabía aún qué había pasado. El lazo le daba sobre la cara, sobre los pechos. Algo pegajoso le había salpicado los muslos y un brazo. Y el olor subía desde la tierra apisonada, una mezcla de pólvora y de amor, y de cosas muy lejanas y profundas; mares, tal vez. En una contorsión que hizo oscilar la hamaca, se volvió boca abajo; vio a un hombre muerto que fue el Ciro: a la frente destrozada seguía la nariz indecisa y los labios, herida irremediable, dulce y agradecida; eran los labios recién besados de un niño.

La mujer estaba todavía aletargada por esa paz ya huida. No entendía mucho de miedos. Sabía que era difícil que algo fuera peor. Ya hacía tiempo que había tocado fondo; la felicidad podía ser sólo una memoria confusa y fugaz o un momento sin futuro. Recién había bebido de la felicidad hasta lo hondo, por primera vez, y a pesar de todo, un bienestar la invadía; un baño de bienestar que pesaba más que los acontecimientos, que trastrocaba el tiempo y la mantenía en un presente que ya había pasado. En casa de doña Jacinta había conocido el apremio de muchos hombres, pero nunca había conseguido ese bienestar que le hacía recuperar las cosas remotas; la infancia y un barco y una imprecisa canción. Sintió que los pechos y el vientre le pesaban como si fueran el centro del universo. De pronto abrió los ojos. El Ciro estaba quieto, allí abajo, en el suelo, largo. Ella se retorció, adentro de la red, y empezó a crecer en ella, como si fuera desde la entraña misma de la tierra roja, un odio pétreo, gris; un odio de greda que la traspasaba, la superaba. Raspándose los flancos logró darse vuelta de costado. Su odio nada tenía que ver con la angustia o la debilidad o el estar allí, vejada, entre cuerdas, prisionera. Era un odio duro hacia un hombre que tenía poder, el patrón, Alcibiades, que estaba ahí junto al pilar; en ese sitio que había sido el apoyo de la espera, de la paciencia, de la pobreza, del amor; del Ciro.

La máscara en el rostro de la mujer no expresaba nada más allá de la ambigüedad, como siempre. Pero ahora revivía esa escena pasada, cuando el hombre de la barba entró en el patio de doña Jacinta, en un atardecer, chirriando las botas, como si fuera matando la luz con sus pisadas y vio el desfilar de las muchachas —la Zoila, tan delgadita que parecía que iba a quebrarse, la Wilda, con su pelo motoso, sus labios abultados y sus ojos verdes, y las otras, y cómo la eligió a ella y la hizo tenderse y subir los brazos detrás de la nuca y como una arcada de asco le subió a la garganta, algo que no le había sucedido antes. Él prometió mostrarle ciudades y le ofreció cigarros de chala y ella olvidó ese asco inicial y se fue, dejando el atado de ropa para las otras, total, a ella ya le comprarían vestidos nuevos en la ciudad, y una combinación de seda celeste. Y llegaron allí, al abra, y lo mismo que en el patio, en el pueblo, los días fueron iguales, más iguales todavía, pasando de amaneceres a ocasos, de noches a días, de calor a calor.

El rencor la ahogaba, le subía en bocanadas desde el

vientre. Se parecía a aquella primera arcada insólita que le acometió cuando Alcibiades la besó por primera vez. Algo que había estado quieto en sus adentros, como una laguna estancada, se echó a correr, a desbordarse por su cuerpo y por su mente, arrastrando los espejos rotos impregnados con sus imágenes recientes, estúpidas y asombradas. Y al lavarla de lo anterior, la volvía clara, lúcida para intentar una venganza. Se oían las idas y venidas del hombre, en la pieza, cómo contaba las monedas de plata, cómo abría la valija y metía, adentro, la ropa y el poncho de la cama. Eso quería decir que se iba, que la dejaba, para que ella se consumiera hasta el fin, bajo el sol que ya daba vuelta hacia esa galería, entre la nube de moscas verdosas, pastosas, que subían desde la cabeza destrozada del muerto, hasta ella. Lejos, esperaban los caranchos y los cuervos.

La lengua, seca, se le pegaba al paladar; el estómago se le endurecía y la apretaba con cien uñas nuevas, adentro, pero no se le ocurrió pensar que tenía hambre y, sobre todo, sed. Su odio podía más que los apremios. Un olor blando se alzaba desde el piso. Un olor dulce que se parecía a ese sudor reciente de ellos dos, mezclados. Y a los yataís que él le traía desde lejos. Y también al bebedero de la mula.

Alcibiades, con la valija en la mano, se detuvo ahí cerca, los labios estirados en una especie de sonrisa. Tal vez su reciente acción le quedaba grande; lo sobrepasaba. Se admiró de sí mismo, de su decisión; había matado a un hombre, al muchacho. Limpiamente se había librado de algo que lo incomodaba. Ahora había que huir. También era molesto, no sabía qué hacer. Hacía calor, era la hora de la siesta.

La mujer parecía un puma, con sus miembros cortos y su vientre y busto abultados, la piel con algunos manchones rojos bajo la red emparchada de sol. Ella empezó a retorcerse. El sol le daba en el hombro derecho y en la cadera; después, en todo lo largo de ese costado. Se acomodó boca arriba, de espaldas al muerto, el sol sobre el seno pesado, justo bajo la soga, sobresaliendo el pezón morado por un cuadradito de la red. La cabellera negra se desparramaba y le escondía la cara; toda esa masa de pelo apenas entreabierta para dejar que ardiera la mirada. Un quejido monótono, un poco ronco, acompañaba el contoneo, algo así como un arrullo, si las fieras pudiesen arrullar, mientras a la frente angosta, deprimida bajo ese pelo que caía, llegó desde sus entrañas una sabiduría antigua: si ella sabía llamarlo, ese hombre se acercaría, se abalanzaría sobre ella y desataría el nudo y destrenzaría el lazo y se aflojarían los bordes de la hamaca y eso significaría el reinado de la hembra, la vida, el poder y, después, la venganza.

Alcibiades estaba inquieto junto a ese pilar. Dejó la valija en el piso y dio un paso adelante. Se detuvo de nuevo.

—Te estás asando al sol, che —dijo con una voz extraña, pastosa.

Ella se retorcía, rugía un poco. El hombre añadió, con voz honda, como si le costara hablar.

—Aura naides nos molestará, aunque sea al sol.

Se iba acercando, deteniéndose y dando un paso adelante otra vez. Ella lo veía crecer, agigantarse. En cualquier momento se abalanzaría, por sorpresa. Tal vez su impaciencia le haría cortar el lazo o la red con el facón.

En los sacudimientos de la mujer hubo un cambio de ritmo, un estremecimiento que el hombre no notó. El odio, por arcadas, por oleadas, iba adueñándose de sus pequeñas astucias, de su pereza, de su deseo, de todo aquello que había sido ella, hasta entonces, y la invadía en flujos y reflujos. Toda ella era una marejada de odio caliente que la endurecía. Su odio era más impaciente que el deseo de él, más apremiante. Ya nada significaba el plan de venganza, ni siquiera la vida. Era un odio exigente, tiránico, de una majestad feroz. Y se agrandaba adentro de ella, la estiraba, ya no lo podía contener... Estalló un tiro.

—*Perra* —murmuró el hombre, entre dientes; dio una voltereta y cayó de espaldas al piso. Tenía una mano sobre el pecho y escupía aún confusas maldiciones.

Adentro de la hamaca quedó el revólver inútil, vaciado. Ella también quedó así. Era la última bala, el último ruido para quebrar el rumor, la pesadez, y la sed. Era el último ruido del mundo para ella. El hombre, Alcibiades, tendido, contorsionándose, oscuro, era una sombra empecinada contra la luz; juramento y estertor. Y, por fin, nada, apenas la muerte bajo el pilar, un poco más allá de la valija vieja e hinchada. Y un hilo de sangre dibujando la camisa no muy blanca bajo la barba renegrida.

La mujer se rindió al sol que la poseía prolijamente. Su odio, satisfecho, la abandonó como un hombre, nomás, y ella se sumergió en una especie de paz opaca, sólida, que poco tenía que ver con aquella que había atrapado luego del amor. Pero ésta era, por lo menos, duradera.

Todo el sol destinado al abra de tierra roja, estaba concentrado, ensañado en ese cuerpo desnudo bajo la red, húmedo, que se iba secando poco a poco. Y la lujosa corte de moscas, tornasolándose, al pasar de la sombra al sol, estiraba las alas y las patitas, iba y venía desde los cuerpos de los hombres muertos hasta el de ella, sin hacer distinción entre la cabeza destrozada, el pecho donde la sangre parecía correr aún, y su sed. Ella alimentó el odio a costa de esa sed; algo estaba cumplido, saciado. Se estuvo un rato quieta, soñolienta. De pronto empezó a roer la red, desesperadamente. Un cuadrito se cortó, después otro. Ardía la piel, los labios, los ojos. Todo se incendiaba en ella aunque la noche ya caía lentamente y pesaba como cien hombres y la selva comenzó a desperezarse a lo lejos, arrastrándose primero, galopando con furia después, estrechando el círculo del abra, estrangulándolo. Cegaba el resplandor de las lagunas y de los ríos mentirosos que avanzaban y huían. Noche, sol, noche otra vez. Y morder los hilos del frío, del miedo, de la soledad. Sus propios gritos engendraban otros que tomaban formas, que la rodeaban y la aturdían y atronaban la noche. Luego el silencio la envolvía y el nudo del lazo, allí arriba, sobre sus pies, se agrandaba en el aire, inalcanzable, todopoderoso.

Redobla el galope de la selva. Sombras, graznidos, alas pegajosas le abofetean la cara, le picotean los muslos y las caderas, la salpican de negrura y de muerte: "La Wilda y la Zoila duermen bajo el mosquitero. ¡Llegan los hombres! Doña Jacinta se va a enojar. Se me enredan las guías en las piernas y las manos de los hombres aprietan los pechos de las muchachas donde rebosa la leche amarilla y amarga para engañar la sed de los hombres. ¡La comadrona! No, que quema las entrañas, se incendian con las palmeras y las culebras. En lo hondo, más abajo de la tierra apisonada, arden las monedas de plata, la barba negra; ya son un líquido negruzco...

Rueda la rueda redonda por las ciudades. ¡Ciro, Ciro, desátame de la rueda! Abajo, en el patio de jazmines, están los soldados con sus fanfarrias y su bonito uniforme azul. Y los ángeles vuelan por el aire y cantan. Traé las blusas de seda para las muchachas. Vamos a rezar todas juntas a la virgen para que se cumpla el milagro; una combinación con randa y un hombre que se quede. La selva me cubre, me esconde entre sus hojas, entre su lujo, entre la selva... Virgencita, nudo del aire, no me ciegues con tu luz"...

La hamaca, en el vacío, como un puente o un sueño murmurante aún, se mecía sobre la muerte, cuando yo, el chasque pobre, llegué.

ALGUNA VEZ EN BRUSELAS

Estaba un poco agobiado cuando salió de su casa. Sentía que todos esos objetos que lo acompañaban en su gabinete de trabajo —el maniquí de la bella muchacha, los títeres flamencos colgados de las vigas del techo, las máscaras y la mano de cera— se habían vuelto en su contra. Uno después de otro iban adquiriendo un aire de burla, de desprecio. No era de extrañar, pensó; representaban la creación del hombre, su desafío personal al Dios Creador ¿por qué los objetos habrían de contentarse con su condición y no intentar a su vez un desafío contra el hombre?

Michel tomó por una estrecha calle en la parte antigua de la ciudad. La expresión de su rostro se dulcificó. Evocaba a las alegres prostitutas de la Edad Media buscando anhelantes en la noche una mano de ahorcadito para esconderla en un recodo de su cama y así atraer el poder y la clientela.

En la mente de Michel ya estaban despiertas las viejas leyendas: la del granjero de Kierbeeck, cuya casa fue construida en una sola noche por el diablo; las de las novias de Brujas, que antes de consumar su matrimonio debían pagar una visita a los cisnes del lago, fantasmas de los ahorcados, para que protejan el lecho conyugal.

Michel llegó a la Grande Place. Esa luz que refulgía desde el otro lado del sol, la misma que ennoblece los cuadros de los pintores flamencos, nunca dejaba de maravillarlo. Esa tarde se espejaba fría y alucinante sobre los grises y los dorados de las fachadas medievales, aureolaba sus santos de piedra, sus monstruos y sus vírgenes de altas frentes inmaculadas.

Entró en una taberna. Había pasado mucho tiempo desde la última vez que, acompañando a un amigo extranjero, deambuló por la antigua plaza espectacular. Sonrió. Pidió una cerveza. Los viejos títeres flamencos que colgaban desde las vigas eran iguales a los del Gran Guiñol de su infancia, los jueves a la tarde. Ahí estaban la traición, la inocencia, el amor y los celos debatiéndose. En los lejanos tiempos de la niñez había buscado desesperadamente, tras las bambalinas, al hombre que movía los hilos, que les prestaba su voz. Nunca pudo encontrarlo.

Ahora, en el medio de la taberna, se elevaba, vertical, un ataúd de cristales donde ardían los leños en llamaradas. Michel veía en ellas, como si fuera adentro de sí, sus persistentes personajes: Felipe II, su bufón y su verdugo; mademoiselle Jaîre y su corte del infierno; Hop Signor y los mendigos; ¿alguna vez se desbordarían, saldrían de su cauce para perseguirlo?

Se oyeron los acordes del carrillón y con ellos llegó el recuerdo de la ternura: la frágil pianista, su primera amada, y él, Michel, elevando la voz cantabile con su violín, en los cines de barrio de Bruselas. Pero la realidad era remota e inasible comparada con la magia al alcance de la mano. Bastó una corriente de aire y el roce de uno de los títeres para percibir el galope del Jinete de la Muerte avanzando. ¿O acaso era el tintineo producido por las monedas de oro del avaro obeso y obsceno de Magia Roja, aquel que encimaba y revolvía sus esterlinas para incitarlas a la procreación?

El galope iba haciéndose más obsesionante. ¿Tendría razón Flolial, el personaje de la *Escuela de Bufones* cuando explica que el arte estriba en la crueldad?

Carlos V encontró consuelo en su papagayo y sus autómatas. ¿Contra qué fantasma pretendía prevenirlo el viejo títere de la taberna? El cerco del bien y del mal era de baja estatura. Michel tomó de golpe su cerveza. ¡Por la salud de Barrabás!, dijo, intentando sonreír. Desde la pared las máscaras de Jerónimo Bosch le hacían guiños y señales. El galope era cada vez más seco y estallante. ¿O eran los eslabones de las cadenas mojadas con sangre que se arrastraban en los subterráneos de El Escorial?

De pronto Michel reconoció la índole de su sed; era la misma de su infancia, la que le hacía buscar desesperadamente al que movía los hilos de los títeres los jueves por la tarde. ¿Cómo sería el rostro del jinete de la muerte, el que gobierna las riendas? Observó las caras indiferentes o apasionadas de los parroquianos. No servían como modelos. Recorrió su mente la galería abigarrada de Brueghel el Viejo. Pero Brueghel no miraba al mundo tal como era. Daba la espalda al paisaje de Flandes, se inclinaba hacia adelante y observaba a su mundo por entre las piernas. ¿No fue en esa postura cuando lo alcanzó la muerte?

Michel miró por la ventana que estaba junto a su mesa. El largo crepúsculo luminoso sobrevivía a las horas nocturnas. Tal vez en un crepúsculo así, el jinete había pasado frente a su puerta en la calle de la Haute sin detenerse.

De pronto volvió a apremiarlo la sed. Necesitaba a toda costa saber cómo era ese rostro desconocido. Tal vez ésa era la índole de sed que atormentó a Barrabás. De súbito le llegó una certidumbre: aquél, en un recodo, también padeció de sed, pero su padecimiento estaba limpio de rencor porque esperaba.

El galope se hacía ensordecedor. ¿Y si el caballo no tuviera jinete? Michel de Ghelderode se dispuso a esperar.

EL SUEÑO VIOLADO

Hay que apresurarse con esta historia porque depende exclusivamente del tiempo que lleva el contarla. Y de usted.

Elsa Grau tuvo necesidad de ver, por segunda vez, *El muelle de las brumas*. Lo pasaban en un cine de barrio. Llegó a las tres y media de la tarde. Un sol pálido y mojado daba ganas de desperezarse. El río merodeaba por allí.

Elsa entró en la oscuridad. Dos películas previas llenaron su espera y su capacidad de asombro. En la segunda, las tomas se detenían con insidia en un catre, usado en continuidad por un estibador, durante la noche, y por una mujer, en el día. Cuando la mujer partía para su trabajo, al oscurecer, llegaba el hombre del suyo, y a la madrugada llegaba ella y partía él. Y siempre la misma rabia y la lucha y el apremio por tenderse en ese catre. En apariencia, el descanso de ambos era una tregua entre dos desencontradas borracheras, pero Elsa pensó que la cámara, a pesar de su pertinacia en los enfoques, no podía captar lo esencial; el sueño que debía continuar sin pausa, que no podía interrumpirse nunca, el sueño infinito. Y ese hombre y esa mujer que al nacer y al morir del día (o al nacer y morir de la noche) se vituperaban y se golpeaban por la posesión de un catre, no eran sino los medios de que se valía ese sueño que a toda costa debía proseguir. Antes de llegar el turno a *El muelle de las brumas* Elsa se sintió demasiado cansada para poder fijar la atención. Le pareció que su ser vivo había sido tragado por la oscuridad o por la ficción y el resto, tal vez lo esencial, flotaba en el aire polvoriento y corría el peligro de ser devorado por los espectadores. Los vendedores de chocolatines la miraban demasiado fijamente: Elsa salió corriendo.

Ya era de noche. Por sus mejillas resbalaron unas gotas de lluvia. Le resultó extraño tener sensaciones: como sentir la vida estando muerta.

Las cosas de siempre le parecieron nuevas y alucinantes: el río, el puerto y una luz. En ese momento era natural bajar la escalerita hacia un barco, dejarse estar en la cubierta, mirar, y aproximarse despacio y mirar otra vez, un poco más de cerca, a ese hombre dormido. Mientras tanto las gotas de lluvia seguían chorreando desde el pelo: Elsa sintió la delicia de los hilitos fríos bajando por el cuello.

Elsa dio un paso y se detuvo: después otro más: vio lo que siempre había deseado y soñado: vio el sueño de un hombre, un sueño vivo, de verdad, con figuras que se movían, actuaban, obedecían a una ley. Elsa quería saber, saber. ¿A qué destino, a qué patrón obedecían las figuras del sueño? De pronto se inmovilizaron; esas miradas sabían algo de ella, demasiado. Después una figura agitó un brazo; era una señal. Y las otras la imitaron. La llamaban; ¿por qué? Elsa reconoció a ese ensangrentado que se agitaba entre ellas. Ese ensangrentado era suyo, le pertenecía, había sido arrancado de sus propios sueños.

Ese grupo gesticulante no era serio, ya llegaba a lo ridículo, parecía que actuaba especialmente para ella. Elsa dejó de estar en guardia. Dio un paso más. Fue el definitivo: había penetrado el círculo de un sueño.

Las figuras ya no se ocuparon de ella. El ensangrentado se transformó en lobo. Elsa quedó allí, sin saber qué hacer. Había perdido su antiguo destino y aún no sabía obedecer al otro.

De pronto se fue delineando un contorno vacío que

iba dibujando una forma familiar, ella, la forma de Elsa Grau, su dimensión precisa, y el contorno la rodeó, la atrapó, la apresó. Y se fue llenando con su asombro y con su miedo.

Elsa quiso gritar, pero no tuvo voz. El contorno ahogaba, o su estupor crecía... Elsa Grau supo que ya no podía salir del círculo del sueño.

¿Y si ese hombre dormido, despertara? Tal vez las otras figuras de sueño podían seguir su destino sin hacer preguntas, acaso evaporarse. Pero Elsa, Elsa Grau...

Está ahí en ese círculo de sueño que ha violado; está ahí, como en una trampa, adentro del contorno de una figura de sueño, apretada, sin saber qué puede pasar después.

El hombre dormido ya se mueve, está por despertar. Hace falta alguien que lo releve, alguien que se eche a dormir, pronto, pronto y prosiga el sueño.

Elsa tiene miedo. Una interrupción, ¿hacia dónde podría llevarla? Continúe usted el sueño, por favor. Piense que esto de violar un sueño es algo que podría pasarle a cualquiera, hasta a usted.

EL CHICO QUE VIO
LAS LÁGRIMAS DE DIOS

LA PRIMERA VEZ que lo vio fue después del séptimo día de haber nacido su hermano. El chico subía por la ladera, algunos capullos se abrían, justo cuando él pasaba pero ni ese milagro podía competir con el otro, con el capullo que había reventado allí abajo, desde su madre, y le sonreía y le tendía los bracitos.

El chico necesitaba de algo que participara de su alegría, necesitaba comunicarse, no sabía con qué, y pasaba de largo por las madrigueras de los animalitos del monte que eran sus amigos, y saltaba sin dejarse acariciar por los arroyos que corrían desde la cima, y no se detenía junto a los árboles cargados de frutos y de ardillas que, con sus grititos lo incitaban a que se detuviera. Ya la ladera se fue volviendo menos verde, ya que los cactus con flores pulposas reemplazaban a la candorosa vegetación y las canciones de los pájaros fueron más raras. Pero el chico no sentía ni el sudor, primero, ni el frío después, y fue subiendo más y más, hasta los albores de la cima donde el sol, cercano, estaba sin embargo empalidecido y las cascadas se mantenían rígidas como estalactitas en cruz. El chico respiraba con un poco de dificultad pero estaba contento. Las nubes tenían alas y querían cargar con él.

Allí arriba estaba la gran piedra lisa y gris. La contempló un rato largo, en cuclillas, hasta no verla ya, ni sentir frío, ni acordarse del porqué de ese contentamiento, sólo atento a algo inalcanzable que se desprendía de la piedra y abarcaba a la cima y el cielo y a él... Era la Mirada; porque la piedra tenía mirada que lo traspasaba en los adentros con una luminosidad suave, oleosa, con sonrisa de seria dulzura, era el Óleo de Dios.

El chico estuvo mucho tiempo contemplando, quizá todo ese día, quizá más, sin sentir hambre ni sed. Un oscurecer empezó a descender, liviano, extrañado de volver a ver allí abajo, la causa inicial de la maravilla: gordezuelo, pequeño y dulce de otra dulzura. Todo era nuevo, excitante: los frutos carnosos y los zumos, el sabor de la miel, pero era un poco triste también, porque iba perdiendo lo otro, lo alto, el Óleo, adentro. Pero los bracitos del pequeño estaban ahí y los buenos quehaceres: acarrear el agua del río, ordeñar la cabra. Era un perder y un recuperar pero también era entender las mareas y estaba bien que fuera así, pensó.

El hermano iba creciendo. Cierta mañana trotaba tras un pájaro de colores. El pájaro se posó en su cabeza y después en sus hombros y el pequeño empezó a reír. El chico quiso participar, pero sus ademanes eran bruscos y el pájaro se voló. ¿Por qué? El había llegado a la cima y sentido hasta lo hondo la mirada de Dios y el pequeño no podía, ni siquiera gateando, subir a la falda de la montaña. Otra tarde regresaban de una larga caminata y el pequeño estaba cansado: se le abrazó a las piernas para que lo tomara en sus brazos, pero el chico siguió de largo, sin mirarlo y los pies del pequeño empezaron a sangrar.

Ya en la caverna, la madre miró con dureza al hijo mayor, lanzó un gruñido y luego tomó al pequeño en sus brazos y lo cubrió de caricias. Cuando llegó el hombre hosco miró los pies del pequeño, quedó un rato observando a los dos y por fin zurró al mayor en las nalgas. En el chico empezó a gestarse como una vida parásita y áspera adentro de su vida, algo que, de crecer, se parecería al rencor. En vano el hermano tendía los bracitos y le alcanzaba un guijarro invitándolo a jugar.

Una vez que el pequeño perseguía a una ardilla que saltaba por las ramas más bajas de un arbusto para dejarse rozar por las manecitas, el chico se acercó para tocarla él también, pero la ardilla se escabulló. El chico les volvió la espalda para irse, pero quedó escondido tras unos matorrales y vio cómo empezaban otra vez las carcajadas del pequeño y los saltitos de la ardilla. El chico sintió que esa vida parasitaria adentro de él iba cobrando un cuerpo sólido que le daba amargor a la lengua y ardor a las manos. Tomó del suelo una piedra y la arrojó a la ardilla.

El pequeño esperó, asombrado, después se acercó a su amiga de juegos, caída cerca de sus pies, la tomó, la acercó al pecho: la ardilla estaba inmóvil. El pequeño alzó sus ojos llenos de terror hacia el cielo: había descubierto la muerte.

El chico se alejó y corrió, corrió. Llegó al pie de la montaña y empezó a escalar. Necesitaba el Óleo. Jadeante llegó hasta la cima y se posternó frente a la piedra, esperando. Ya oscurecía pero la mirada no llegaba. De pronto, de los resquicios de la piedra, fueron desprendiéndose gotas tal vez oleosas pero oscuras, algo que lo nublaba y lo confundía con la noche. El chico asustado, arrastrándose, fue bajando por la ladera; algunas breñas le lastimaban los costados pero él no lo notó. No estaba seguro si había visto la negrura líquida; la sentía adentro, como una sangre distinta y terrible de tan triste. De la piedra se habían desprendido lágrimas, las lágrimas de Dios. La noche sin olvido estaba en sus adentros aunque el sol devorara el llano, y el hermano ya sin memorias del mal le tendía los bracitos sonriendo. Pero la madre se apresuró por alzar en sus brazos al pequeño apartándolo del mayor. Después llegó el hombre hosco, tomó a la madre por la cintura, al niño pequeño sobre sus hombros, y se tendieron los tres bajo el almendro poniéndose a comer el corazón de los frutos que partían contra un pedrusco. Luego el hombre se levantó, empezó a tirar al pequeño contra el aire azul y a abarajarlo con sus fuertes brazos velludos, mientras la madre gemía y reía de temor y de placer. El hombre no parecía hosco bajo el árbol, junto a la mujer y el pequeño. Una rama se le enroscaba por entre su cabellera hirsuta. El chico no lo había visto nunca así.

De repente el chico oyó, muy cerca la risa del hermano. Lo había descubierto. El pequeño abría los bracitos llamándolo. El chico se olvidó de todo lo anterior, sólo sintió bajo su piel esa risa dulce y se acordó de su tibieza y de su olor a miel y a leche. La madre y el hombre hosco, jugueteaban bajo el almendro dando tumbos el uno sobre el otro; sus risas eran oscuras y ya no se ocupaban del pequeño. El chico les dio la espalda y se dirigió hacia el mar. Tampoco se volvió para mirar al hermano que con pasitos cortos lo estaba siguiendo. El chico tenía hambre. Hacía días que no se acercaba a la caverna; le dolían los adentros. De un salto estuvo sobre un montículo rocoso que negreaba de moluscos. Desesperadamente los fue arrancando y chupando, abriendo algunos con los dientes. Tenían un gusto severo, enferruginado que lo calcinaba un poco. Recordó aquello oscuro que goteó desde la piedra de la cima. De sus ojos brotaron sales o lágrimas: sintió que ya todo estaba bien.

De pronto oyó la vocecita del hermano otra vez. El pequeño intentaba trepar a las rocas sobre el mar pero no lo lograba. Una ola se le enredó por la espalda hasta el cuello. Sólo podía alcanzar los pies del chico, poderosos ahí arriba. Los ojos confiados del pequeño endulzaron al mayor. El chico lo levantó y lo sostuvo en sus brazos. Los pies le dolían, ahora; con el sobrepeso del hermano se le clavaban sobre los cantos filosos a medio abrir. Pero ese dolor era también contentamiento hondo, era como entenderse con la paz del primer mundo.

Los moluscos negros, contra el sol de la tarde, cobraban reflejos morados. El chico tomó dos moluscos y los abrió. Uno lo pasó al hermano y otro lo llevó a la boca. La conchilla contenía el mar y algo más; tenía el gusto de las lágrimas de Dios.

Lejanas se oyeron las voces de la madre y del hombre. Caminaban de prisa, como errabundos, mirando hacia todos lados menos al mar. Ahora corrían llamando Yahaiii, Yahii..., el chico los miraba extrañado, había soñado algo así, una vez: dos figuras dejando atrás el monte y el mundo, avanzando hacia el mar. El chico estaba ensimismado; de pronto una ola grande le pegó fuertemente en la espalda, perdió el equilibrio y el hermano cayó de entre sus brazos sobre los moluscos filosos. El pequeño gritó, gritó. La madre y el hombre los descubrieron, el chico de pie, con los brazos caídos y el pequeño ahí asustado entre rocas. Se había raspado la frente y las rodillas y sangraba. Una ola lo cubrió un momento, cuando la madre llegó y gimoteando lo tomó en sus brazos. El hombre se abalanzó sobre el mayor, lo refregó contra las bocas punzantes de los moluscos de la roca, lo sumergió en el oleaje por un tiempo largo y lo volvió a zamarrear y a herir.

La madre acariciaba al pequeño y lo sumergía entre la floración lechosa de sus pechos.

El hombre golpeaba aún mientras la madre y el pequeño se alejaban. El chico no sabía qué pasaba bajo la furia elemental de los brazos fuertes. Ya no había moluscos en su boca pero sentía su sabor más acre, más amargo, y crecía, ya era esa antigua forma parásita, adentro, con vida propia ahora, agravada por oscuras memorias, algo que tal vez se llamaría injusticia.

El pequeño, colmado, ya jugaba sobre la arena blanda, mientras la madre volvía sola hacia la caverna. Pero el hombre castigaba aún, ahora con sus puños, en la nuca y en la espalda del chico que se doblaba, se doblaba hasta tocar con la punta de los dedos la arena húmeda, luego algo sólido que estaba justo ahí, un pedrusco pesado como una pregunta, como los golpes retumbando en su cabeza; lo alcanzó, lo tomó fuerte con su mano ardiente y lo arrojó a la otra cabeza perpleja que también era la suya, la del hermano... Un grito único y después nada, ni los puños del hombre ni el ruido del mar.

El chico se enderezó despacio. Estaba solo ya. Lejos se levantaba el viento de los lamentos. El chico corrió, huyó montaña arriba, arriba, cayendo entre breñas y cactus, volviendo a escalar sin respiro, hasta la cima.

Frente a la Piedra se dejó caer y esperó: sólo luz acusando y sequedad, noche, y resplandor que ciega otra vez. De pronto estalló el bramido que sacude la montaña y la tierra: de la piedra empezó a brotar, a estallar el líquido negruzco en torrente, un óleo pétreo ahora, anegando la cumbre, la ladera, el cielo, vorágine subnatural sobrepasándolo todo, culebra mineral con cabezas leoninas, con llamaradas por cuerpo, con pulmones-aletas independientes, respirando cielos. Río oleoso-negro sobre el mar y el sol. Revientan cadenas de hombres perseguidos por úteros enferruginados, estrellas embestidas por arañas subterráneas salidas a luz, lunas descuartizadas mostrando la otra cara de la luna, la que nunca debió ser vista por hombre o animal, hongos del horror y del miedo cayendo desde lo alto, cubriendo con sus telas ponzoñosas a pájaros, ardillas, mujeres, peces, lombrices, niños, tigres, confundiéndolos unos con otros; montañas humanas despavoridas, huyendo de los soles degollados, torre carnal en putrefacción bajo la líquida torre negro-verdosa-veneno triunfadora, con risa de muerte mecánica mezclando sangre con óleo pétreo aniquilante. Risa...

EL PESADOR DE TIEMPO

EL PESADOR de tiempo estaba tan ensimismado en análisis-síntesis y comprensiones, que olvidó el otro tiempo que aún no dejaba de correr.

Muchos inviernos y veranos habían transcurrido unos tras otros, pero el pesador, en la quietud de su torre cónica, no los había advertido.

Sin embargo, cierta mañana abrió la ventana con el enfoque del cenit, y un aire picante y suave a la vez le meció las barbas, le traspasó la piel reseca y se le fue adentrando hasta los huesos. El sol brillaba con dos tonos de oro y el anciano decidió echarse a andar por la ciudad. Tomó por una de las calles en espiral y llegó hasta la plaza de los pastos azules donde pacían sus conciudadanos de Armuth.. El pesador de tiempo fue acercándose a ellos, pero notó que los que habían sido sus amigos evitaban mirarlo a los ojos y los otros lo hacían de soslayo con una mueca de disgusto y una expresión amenazadora. El pesador de tiempo decidió volver apresuradamente a su torre. Al pasar frente al obelisco de los espejos acertó a observarse de cuerpo entero: el rostro era macilento, la barba verdosa, los ojos velados por el halo de la senectud, y la figura encorvada y tambaleante. No había dudas: era la decadencia y por lo tanto el momento de morir. La ley de la ciudad de Armuth —mientras los pesadores de tiempo ejercieran su oficio sin resultado evidente— era inflexible.

Todo armuthiano lleva el sello de la muerte recamado en ónix o esmeralda, según su rango, colgado al pecho. En el momento preciso debe abrir el estuche y verter por sí mismo las gotas en sus pupilas; de no hacerlo, otro ciudadano tomará sobre sí la obligación.

El pesador de tiempo aceleró sus pasos, se encerró en su torre y trató de dedicarse a sus tareas habituales. Sólo le faltaba concretar la última pesa con la dosis exacta de llamas, céfiro y equinoccio para balancearla. Para ese entonces los armuthianos ya podrían arrojar a su río Armuthian sus sellos de muerte con la efímera visión del paraíso violáceo. Faltaba menos de un adarme, a esa pesa versátil, para que nivelara el tiempo. Una bocanada de aire cálido se coló por la ventana que no había tenido la previsión de cerrar; un deseo incontenible llevó al pesador a deslizarse por la espiral en declive y abrir otra vez la puerta de calle.

Era el anochecer, pero los armuthianos acertaron a divisar su aspecto senil y mientras los amigos se apartaban de él, los desafiantes empezaron a rodearlo. A pesar de su ancianidad el pesador logró correr, arrimado a las paredes. Las piernas le respondían, firmes, como ajenas, pero la boca parecía encalada. Tomó por el túnel que da al puente hundido; sólo unos pocos conocían el mecanismo que lo convertía en levadizo. El pesador logró ponerlo en marcha y así entró en su torre por la ventana del cenit. No, ya no intentaba salir; no se trataba de miedo o de querer soslayar la ley; siempre había sido un armuthiano respetuoso. Hasta había ayudado, alguna vez, en otras épocas, para hacerla cumplir con deligencia y sin miramientos. Pero ahora faltaba tan poco para que esa pesa... Tal vez una pizca más de equinoccio. Un sudor extraño lo ablandaba y en la boca persistía la sensación de dureza blanca que lo incapacitaba para pronunciar palabras y para invocar. ¿Dónde quedaba la visión de la espiral invertida cerrando el círculo del tiempo en su punto de partida? Ya jamás llegaría a conseguir ese equilibrio que había intuido bellamente una tarde, entre el nadir y el cenit. Tristemente, el pesador de tiempo intentaba palpar las sustancias semiinasibles que había logrado almacenar en probetas refractarias, pero se le deshacían entre los dedos demasiado ávidos y desesperados. Observó una vez más su imagen reflejada en los cristales; sólo vio el desasosiego. Apartó los ojos. ¿Después de las gotas oníricas con su simulado paraíso violáceo, qué quedaba? Acaso la nada. O algo peor.

El pesador caminaba mil, dos mil veces por el cuadrilátero de su observatorio. En un impulso acercó los labios a las sustancias intocables para darles el último adiós; necesitaba creer en algo: fetiches o talismanes. Pero avergonzado se apartó de los anaqueles y volvió a deslizarse por la espiral, sólo para experimentar la sensación de elevarse después, por ese mecanismo copiado de los sueños. Abrió una ventana cualquiera. El aire era cada vez más cálido. Una ola de infantilidad lejana le inventaba historias de terror. Decididamente, el pesador no quería morir. Recordó que cuando niño, cierta vez había escapado a las grutas y nadie lo había descubierto; frutos silvestres estaban al alcance de la mano, en primavera. Sería un "impasse" de tiempo no pesado, un poco de robo a ese tiempo que era casi su pupilo y que de pronto se había convertido en su amo. Empezó a llover. Esperó la noche, se cubrió con mantos ultratérmicos, se calzó las sandalias escáficas y se encaminó a las grutas.

Tendido sobre la arena blanda, lo invadió un sueño profundo. Cuando despertó tendió la mano; los frutos estaban allí, endulzados por las lluvias. En la gruta no había balanza ni probetas con elementos terrestres o celestes, ni en el valle, pasto azul para pacer; no tenía ocupaciones perentorias. Se dio a meditar sobre esa entidad no nombrada pero tampoco olvidada desde hacía siglos. Se puso a pensar en Dios.

Como un hilo oscuro que aclara poco a poco, se elevaba su pensamiento y cobraba cierta densidad; acaso se trataba de aquello que en las viejas enciclopedias se le da el pequeño nombre de fe. El pesador buscaba símiles figurativos, y comparó la fe con la danza de la serpiente en verticalidad, con algún semitransparente cordón umbilical y por fin con la espiral, símbolo de la ciudad. Pero la espiral de sus especulaciones actuales contrariaba la meta de sus colegas, crecía en vez de invertirse hasta su punto inicial y libremente se elevaba hasta perderse en el infinito.

De pronto la muerte no le pareció el último repliegue sino un tramo, sin mucha importancia, de la continuidad. Ahora pensaba en la muerte como en una escala acaso reparadora. La aceptaba como a un amigo; debía ir a su encuentro, siguiendo la ley.

Como el pesador ya no pesaba el tiempo no supo cuánto de él había invertido en las grutas. Calzó sus sandalias, vistió sus ropas y se encaminó a la ciudad. Hacía calor, pero su andar era ligero. Para alivianarse regaló sus mejores mantos a los niños del camino, que hicieron con ellos toldos y carpas para sus juegos de terror. Con un solo manto por vestido, el pesador llegó a la plaza de los dulces pastos de pacer. Alegremente iba al encuentro de la muerte.

Fueron los extranjeros los primeros en hacerse a un lado para darle paso, susurrando: *Es un hermoso patriarca.* Los amigos se apresuraron a saludarlo con reverencia y en ninguno de los otros fue posible descubrir el ademán amenazador; por lo contrario, un respeto supersticioso parecía sobrecogerlos. El pesador se miró en el arroyo espejado; su rostro era sereno, ahora; sus ojos iluminados y mansos, sus facciones distendidas, sus barbas dóciles y albas, su cuello erguido.

Volvió a su torre y se dio a sus tareas habituales, esperando la muerte de buen grado. Sin embargo, su labor no lo satisfacía; pensó que, al fin de cuentas, ésta consistía en robarle la libertad a un tiempo que ya se le mostraba dócil, casi entregado... Las imágenes en verticalidad que vislumbrara en las grutas, iban echando raíces a lo hondo: otrora, un profeta se había identificado con el infinito por el martirio, enarbolando un símbolo que copiaba la forma de un hombre. El pesador sabía que el tiempo de su propia muerte ya había llegado y para dejarlo en libertad resolvió resucitar la vieja y olvidada violencia que desencadena el sacrificio. Abrió la ventana del nadir, pero no utilizó lentes transgresores; sólo abrió la ventana, tomó algunas piezas sobrantes de ónix, cuarzo y lapislázuli, y fue arrojándolas sin ira desde lo alto, con cautela, para que no dieran en ningún blanco.

Los armuthianos formaban grupos, se exaltaban en creciente clamor, esgrimían sus amuletos y recogían las piedras amenazantes.

Al pesador le era difícil, ya, arrojar sus proyectiles sin acertar en ningún blanco. Se cruzó de brazos y esperó la muerte pensando en ese profeta casi olvidado de la antigüedad que había recibido pedradas que laceran.

La turba ya entraba en la torre, ponía en funcionamiento el mecanismo ascendente, ya llegaba al último tramo.

El pesador abrió los brazos y adoptó la posición legítima de hombre o de árbol. Sintió su pecho ofrecido a los otros como una plaza con pastos de pacer; allí debían lacerar con sus propias piedras.

Los armuthianos estaban allí, jadeantes, pero los gestos iban trasmutándose, pasaban de la ira al asombro, las bocas se entreabrían, no para insultar sino para entonar un himno. El pesador se volvió para seguir las miradas de los otros; la balanza con sus pesas de tiempo y equinoccio estaba allí... pero los platillos, paralelos... se habían estabilizado.

EL CASTILLO

En torno al castillo revoloteaban los pájaros negros chocando sus alas con los ventanales cerrados. Desde adentro sólo respondían el silencio y el aroma que se escapaba por las rendijas. Eran ondas de perfumes organizados en gamas diversas como si alguien allá adentro hubiera desgranado las notas de un teclado silencioso que enloquecía a los pájaros.

No podía ser sino un hombre quien hubiera hecho estallar las vibraciones prohibidas, conjugándolas para hacer despertar uno más de esos secretos que yacen por milenios. Sólo el hombre es capaz de atar y desatar los poderes obligándolos a servir a sus propósitos. Éste había logrado la escala de los perfumes con sus tonos en mayor y en menor, para que partiendo de ahí se elevara la gran sinfonía. Pero este poder voluptuoso tomaba partido en su contra.

Desde las montañas hasta los valles y praderas de la Provenza se habla en voz baja sobre la Amazona de los Perfumes. Dicen los campesinos que en los días señalados intuyen su llegada desde el amanecer, y al promediar el lento crepúsculo ya se escucha el galope de su cabalgadura que hace latir la tierra hasta resquebrajarla para que en su entraña penetren los perfumes vertiginosos que la distorsionan.

Cuentan que la Amazona es blanca de rostro y de brazos y que su sombría cabellera al dar contra el viento se vuelve tan roja como las llamas. Todo el valle y la montaña se impregnan con su hálito de perfumes irresistibles que van tomando las formas y los cuerpos de los sueños.

La Amazona va seguida de su corte de pájaros de la noche, búhos y lechuzas, algún ruiseñor y los cuervos. Esa nube de aves impide ver claramente su cuerpo desnudo que, sin embargo, se adivina en la última luz. Alguien contó que es deslumbrante hasta lo insoportable y que se ondula siguiendo los ritmos del galope. Pero los ramalazos de los raros perfumes obnubilan hasta tal punto a los campesinos que no son capaces de precisar si al paso de la Amazona están despiertos o dormidos.

Sólo a la mañana siguiente puede reconocerse el paso de la Amazona por la desolación. Tras su galope va dejando una estela de despojos como si ese sendero hubiera sido recorrido por la cola quemante de un cometa. Unos pocos campesinos han tratado de seguirla y errar por los valles clamando por ella. Creen encontrarla y perderla otra vez entre las piedras blancas salpicadas de tomillo. Uno de ellos llegó hasta el pie de la cordillera, el Valle del Infierno. Tal vez pasó sin detenerse por el Pabellón del Amor, donde en tiempos medievales, la reina Juana esperaba al rey René. Quizá la Amazona se detuvo allí alguna vez, pero el campesino siguió adelante hasta la ciudad muerta de Les Beaux; erró entre la belleza y la muerte sin percibirlas, sólo atento a las reminiscencias perfumadas que arrastra consigo el mistral. Carcomido por el silencio y la vigilia trató desesperadamente de atravesar otra vez el Valle del Infierno y trepar a la otra cordillera blanco-fantasma. Pero aunque se ensangrentó las manos y los pies, no pudo llegar hasta las grutas donde se susurra que la Amazona preserva la raíz de sus esencias y eleva sus himnos silenciosos de perfumes.

El filósofo, único habitante del castillo de Vauvenargues, estaba en el salón del ala principal, rodeado de folios amarillentos con las máximas del moralista, su antepasado. Acaso él también vislumbró a la Amazona porque sus textos, recorridos uno después del otro, forman una escala cromática con acentuaciones perfumadas. El filósofo, su descendiente, tras largas meditaciones, prefirió otros elementos para exaltarla. Puso en juego sus conocimientos de la ciencia y de la alquimia, y entre alambiques y retortas, seducido por esa embriaguez que se parecía al amor, logró apresar los secretos. Las escalas cromáticas de los perfumes no fueron sino punto de partida para su gran creación. Inventó un pentagrama que traducía la coloratura y el tiempo de los diferentes aromas, y una vez clasificados y ordenados, se dio a la tarea de crear, más bien, desatar la gran sinfonía.

Pero la Amazona de los Perfumes no estaba dispuesta a soportar la emulación. Y como siempre ocurre al primer hombre que roba un secreto a la naturaleza y se apodera de sus leyes, el filósofo debió afrontar su castigo.

Quizá la Amazona dio órdenes a su corte para invadir el castillo. O tal vez los pájaros enloquecidos por el crescendo de los aromas artificiales, sólo siguieron el mandato de su instinto.

El ejército de la noche empezó su ataque. Las sombras de las alas negras y los perfumes más raros y terribles danzaban en la oscuridad. Por fin, por un hueco de la chimenea pudieron entrar, uno a uno, los innumerables pájaros.

Cayeron los candelabros, y las llamaradas azules, enrojecidas, invadieron pentagramas y alambiques. Estalló una orgía de perfumes confundidos entre metales, cilatos y carburos.

Solamente después de varios días los campesinos consiguieron derribar la gran portada del castillo. No encontraron al hombre ni a sus fórmulas. Los perfumes ardientes se habían vuelto en su contra. No dejaron rastro de su esqueleto ni de sus partituras.

Sin embargo, se dice que en las escaleras más retorcidas del castillo, las que comunican con los sótanos y los pasadizos secretos, pueden percibirse aún, las plañideras melodías de los perfumes. En uno de esos sótanos se encontró una calavera.

Ahora la gran melodía embriagante y silenciosa erra, desatada, por los valles y montañas de Provenza. Los vientos la han distorsionado y vuelto al caos inicial, donde, si se la percibe, puede hacer morir a la bestia más feroz y al hombre más sabio.

Fue después de este episodio cuando Picasso compró el castillo de Vauvenargues.

EL PINTOR

Conocía la dimensión exacta de lo inmedible y el color que se descubre al otro lado de la esperanza y la desesperación.

Tenía en la mano la ley que rige las perspectivas de las lunas negras y de las otras, y sus manzanas pintadas contenían en su centro un universo inviolable.

Sabía que el trasfondo más allá de la opacidad es traslúcido y que alguna vez habría que traspasarlo.

Cierta noche soñó que estaba asomado a la cubierta de un barco muy alto. Abajo, en el agua negra sobreflotaban las cabecitas de niños ahogados. En el otro límite del río fulguraba la playa deslumbrante de la luz prometida, esperando. ¿Quién podría, sin recibir un empellón, arrojarse y traspasar las aguas pantanosas?

Ni Minotauro, el monstruo que fue un semidiós, hubiera podido arrancarse él mismo la máscara de la bestialidad aun teniendo la certeza que tras ella resplandecía el alto rostro del dios.

Pero alguien consiguió sin violencia dejarse caer en la negrura. Alguien pudo traspasar las aguas del horror, entre cabecitas de absortos ahogados. Alguien conocía el sencillo mecanismo tenebroso, la clave misteriosa de la ley. Fue alguien que pasó por nuestro lado.

Cuando lo vi yacente e inmóvil entre cirios, era ya huésped del gran resplandor. En su claro rostro iba inaugurándose un esguince: —Sabés, no es para tanto. Todo está bien y esto de seguir la ley es bastante divertido.

Claro está, era Juan Batlle Planas.

MÁS ALLÁ DEL GRAN CAÑÓN

No muy lejos del río Colorado y del Gran Cañón está la hornalla. Es una hendidura menor y no es tan difícil descenderla, pero una vez allí se toma conciencia de estar adentro de un pedazo de entraña destrozada y de formar parte de ella. Ya se sabe que en lo hondo de la tierra no hay demasiadas diferencias entre hombre, árbol, piedra o animal.

América es exagerada: el desierto es como el fin del mundo, y el viento es un rebenque que azota con frío o con calor según de que lado sople. Pero tapándose las narices con algún trapo para no respirar arena, hasta se puede sembrar algo si se tiene el coraje de bajar al río unas cuantas veces con un balde grande para regar un poco.

A veces cuando se acaba la harina hay que amasar con polvo de raíces, pero el gusto de la tierra del desierto no es tan malo, si no se tiene otra cosa.

En aquellos tiempos pocos pasajeros atravesaban el desierto de Arizona, pero la diligencia, vacía o no, lo hacía una vez cada mes, y Joe, y la mujer blanca oían el *tlac* durante todo el día, desde la hornalla. Y el *tlac* crecía, se les metía adentro y despertaba las evocaciones, las mezclaba con las músicas de antes y los viejos fantasmas, y ellos dos quedaban silenciosos, separados, esperando. La mujer caminaba por el rancho de la hornalla, de uno a otro lado, malhumorada o eufórica o temerosa. Se ataba y se desataba el pelo, se refregaba los ojos y el cuello y se ponía polvos de arroz sobre las marcas de la cara. Y los dos, sin hablar, se atareaban, no podían estarse quietos, barrían el suelo de tierra apisonada, tan colorada como una herida, pasaban un trapo sobre las piedras que servían de paredes y Joe componía la silla desclavada y ponía en fila las figuras que había modelado: ángeles con cuernos y sexos en las alas para conjurar el mal. Después las escondía porque la diligencia ya estaba cerca, ya se apagaba el último *tlac* y el silencio les caía encima como una tapa. Joe trepaba para espiar un poco, nunca se sabe qué puede traer una diligencia. A veces pasaba de largo, cuando acarreaba pasajeros de autoridad.

Podía confiarse en el mandadero, pero de todos modos era preferible la cautela. Buen hombre el mandadero, un poco sediento, es verdad, pero eso le ayudaba a contar los sucedidos.

Esta vez todo andaba bien: el mandadero estaba dando voces a la entrada de la hornalla y Joe le ayudó a descender y allí estaba con el agua-ardiente y un poco de whisky Bourbon, y azúcar y tabaco y hasta chocolate, unas semillas y papas también, total esta vez la diligencia no llevaba pasajeros. Joe encendía un fuego grande con los cactus juntados en todo el mes, y el mandadero narraba historias de negros linchados porque habían violado a una chica (la mujer escondió la cara entre la gasa colorada que le había regalado Joe) y contaba del presidente alto y flaco padre nuestro de los Estados Unidos de América que parecía un gran negro blanco, sabía cosas de árboles y su voz resonaba como una banda de música en la plaza. Y el presidente decía que el Gran Cañón y el desierto y el río Colorado también eran América y por eso "the best of the world".

Cuando el mandadero ya se había ido con las mazorcas escasas y un poco de avena y las tortas, cuando dejaban de resonar los últimos *tlac* de la diligencia, Joe y la mujer blanca, con dificultad, iban integrándose a la vida de siempre, es decir, a cumplir con la ley como buenos súbditos que eran: la mujer se volvía a atar los bigudíes, empuñaba el látigo y salía del rancho chasqueando contra el suelo y gritando: —¡Hey Joe, vamos de una vez, que tanta historia! Ustedes los negros son la peor peste, unos haraganes que no sirven para nada. Hey...

Daba con el rebenque en el suelo y alguna vez en el lomo inclinado de Joe que cavaba y, si tenía suerte, sembraba un poco mientras se entregaba con lenta alegría a su canción:

> *Gracias señor,*
> *Gracias Moisés*
> *Tu negro te canta,*
> *Tu negro soez.*
> *El niño Jesús le enseñó a esperar.*
> *Acá no hay Jordán para cruzar.*

Al anochecer, Joe, sudoroso, bajaba al rancho de la hornalla; la mujer llevaba suelto el largo pelo castaño casi sin trazas de rulos. Tenía preparada la comida y el balde lleno de agua. Se arrodillaba junto a Joe y empezaba a lavarle los pies y los muslos, a frotarlo con el cepillo y con las yemas de los dedos, un poco ásperos también. Joe dejaba hacer mientras comía la harina de maíz o de cebada rociada con leche de cabra. Después, desnudo y brillante, se acomodaba sobre la mesa, los talones debajo de las nalgas. La mujer le alcanzaba el tambor y el látigo y Joe cantaba sosteniendo el ritmo con la percusión, enervado pero dulce porque la mujer bailaba al son de los chasquidos y del tambor. Algún rebencazo la alcanzaba en el vientre o en el trasero y ella se desprendía la falda, el corpiño, y los grandes pechos blancos se derramaban adueñándose del rayo de la luna que horadaba el hueco de la hornalla. Joe cantaba:

Hay que cruzar... hay que cruzar
El agua es mucha, nos va a tapar
Oh, Jordán.

hasta que la mujer, exhausta, desnuda, emblanquecido el cuerpo de humedad caliente, esperaba y la vela se apagaba del todo, sólo el blancor del rayo de luna, ahora sobre un pecho, ahora en el otro hasta que Joe rodaba sobre ella por el suelo de tierra apisonada hasta el cuero de búfalo que en un día de suerte había cazado. Y el ritmo de la noche iba ganando todo el desierto, frío, ahí arriba, caliente, aquí abajo.

Pero a la primera pinta de sol la mujer se desperezaba y empuñaba el látigo y Joe empezaba a trepar hornalla arriba, con la pala y la azada a cuestas, y la mujer dando chasquidos gritaba otra vez:

—¡Hey, negro de porquería! Una tiene que deslomarse con el látigo para que siembre alguna cosa. ¿Cómo va a andar nuestra América con negros que sólo sirven para engullir?

Ya Joe y su canción se inclinaban, pesaban, subían, y la mujer se dejaba estar sobre la piel de búfalo, encendía la pipa y echaba humo: se había olvidado que tenía la cara marcada, sólo la noche y los brazos de Joe le habían dejado su huella dulce, adentro, y ella, entredormida, sólo sabía que el mundo era redondo porque sus pechos y su vientre eran redondos y porque hacía calor o frío y Joe le daba duro a la pala y el rastrillo para traer algunos granos, y a veces podía cazar alguna buena presa, si tenía suerte.

Las noches y los días estaban encadenados por los eslabones de la necesidad, del placer y del viento. Una mañana como otras, se oyó, lejos el *tlac* de la diligencia, y al oscurecer el mandadero se apeó y bajó a la hornalla. Era en el mes de las lluvias y el desierto, por dos o tres sema-

nas, había florecido de amarillo. El mandadero estaba
empapado. Arriba en la diligencia, esperaban un par de
viajeros, gente inofensiva, dijo, pero nunca se sabe, por
eso Joe no subió ni para ayudar con las provisiones.
Pero el mandadero tenía que secarse la ropa empapada,
beber con tranquilidad y contar los sucedidos: el presidente leñador, alto y desmañado como un negro blanco
había declarado la guerra a los ricos plantadores, a los
de la suerte y el algodón. Y ya no había ni ricos ni escla-
vos ni guerra tampoco porque el mundo se había dado
vuelta. Los negros del norte, ahora, eran como los blancos del sur, antes: la noche era día y el día era noche. Joe
y la mujer daban vueltas los ojos en redondo, los clavaban en los rincones, como alfilerazos fugaces, y después,
atemorizados, miraban para el cielo que quedaba muy
arriba, desde la hornalla.

El mansajero ya había saciado su sed y se había ido.
Sólo la noche caía encima y los embadurnaba de negrura o de blancor según el paso de las nubes más abajo o
justo frente a la luna recién salida. De pronto la negrura
quedó fija en la hornalla, como para siempre, y los dos
se tumbaron, cada uno en su rincón. A la madrugada la
mujer empuñó el látigo. Como todos los días, Joe se
puso el pantalón caqui y tomó la azada y la pala del rincón. Una gran tristeza los inundaba y no miró a la mujer. Ella tampoco gritó los insultos de costumbre; se de-
moró estirando el pelo pesado, con los dedos, sin enros-
carlo con lo bigudíes. Estaba de pie, apoyada contra la
roca, y empezó a surgir en ella la evocación, detallada,
resucitada: el prostíbulo de Austin y los mineros sentán-
dola sobre el mostrador, abriéndole la blusa para to-
quetearle los pechos bien a gusto y rociarlos con buches
de cerveza, y ella riendo, porque el frío y las burbujas
hacen cosquillas, algo así como la voz de Joe cuando
canta una canción nueva, pero distinto, porque con la

canción los pechos no se erizaban de frío sino de dulzura caliente. Siempre tuvo pechos grandes y muy blancos, aun cuando la cara se le llenó de pústulas y la echaron del prostíbulo. "¡Fuera, fuera. Viruela... Viruela negra!...", y todos se apartaron de ella. Sólo Joe, el esclavo del patio la ayudó. Ella corría jadeando, corrió hasta la mina pidiendo protección. "¡Fuera! ¡Maldición! Una mujer en la mina, ¡jetta!, y con pústulas. ¡Fuera! ¡Viruela!..."

Las pústulas se oscurecían, ya eran verdosas, violeta, negruzcas y echaban zumos, dolor y después picor. Joe la seguía, la sostenía en el camino mientras los otros gritaban:

—¡La peste, fuera, fuera!

Todo ardía en ella; no supo si fue Joe o las apariciones quienes la llevaban en brazos, no supo si Joe se lo dijo con palabras o con la piel:

—Te llevaré por los caminos de sol y de frío hasta la gran noche de la luna llena.

Por fin encontraron un refugio, una gruta o cabaña abandonada, a la entrada del desierto. Durante el día Joe se iba y la dejaba, tirada en el camastro, ardiendo o tiritando. Pero a la noche volvía con una jarra de leche. Joe era un esclavo huido —pensaba la mujer—, lo podrían linchar. Ella dudó: ¿debía o no denunciarlo? A lo mejor tendría que hacerlo, pero todavía no. Joe traía el whisky Bourbon, que hace olvidar el hedor y el deber, y con Joe llegaba la calma. Ella bajaba la manta, y los pechos de buche de paloma blanca se esparcían ahí, inmaculados; ella refrescaba sus manos con costras contra el frescor de carne blanca casi ajena, y contemplaba esos pechos lucientes como objetos del pasado, jarras de alabastro o pantallas de lámparas.

Ahora la mujer, apoyada en la pared de la hornalla, veía cosas demasiado lejanas con sus ojos cegados, aunque muy abiertos. Luchaba por espantar viejos recuerdos, pero se obcecaba con ellos, mezclando los tiempos, mientras Joe, arriba, canturreaba tristemente. "¡Hey, Joe, deja de cantar!, ¿o quieres que te azote?", gritó la mujer por costumbre poniendo las manos junto a la boca como trompeta, para que suba la voz. Pero no pudo dejar de caer, otra vez, en el pozo de las memorias; tenía que agotarlo, beberlas todas, una a una, no podía hacer otra cosa con esa evocación persistente que no quería morir. Y la mujer murmuró casi en voz alta: "La cara marcada por hendiduras, con hornallas como el desierto, y yo excluida, fuera del baile y del deseo de los mineros blancos, para siempre". (Lanzó una risa amarga.) Total, ella solamente había tenido viruela; había otras con pestilencias peores y se habían quedado... Pero después de ella empezaron dos mineros con las pústulas negras de la viruela, y los dos reventaron. Esos ya no descenderían ni a la mina ni a la cama, solamente a la hornalla del campo santo, y después a la del infierno... (la mujer rió otra vez con su risa mala).

Joe, desde lejos, cantaba, elevando su voz muy arriba, ahora; arrastrándola muy abajo:

> *Jesus Christ... in my eye...*
> *Jesus Christ... in heaven...*
> *Jesus Christ... in the sky...*
> *Jesus Christ... is seven...*
> *hills and hills,*
> *fields and fields,*
> *seven bells,*
> *seven hells...*
> *in my eyeeeeeeeeee.*

—¡Basta negro, o querés la gran paliza!... Un negro siempre será un negro color infierno. ¡Basta!

Joe le llevaba hielo, noche a noche, en aquella cabaña escondida. ¿Cómo hacía para llegar con el hielo hasta ahí, casi a la entrada del desierto? ¡Qué abrigada, sucia y dulce era la cabaña ésa! Era lindo el hielo sobre las pústulas; flores de hielo traía Joe en sus palmas violetas.

—¡Negra linda del infierno como yo! —decía Joe contento—. No te vas a morir como los mineros, porque Joe te lleva adentro, entre la sangre y la piel. Ya sos parte de Joe y Joe no muere.

Y despacio bajaba la manta y un pecho se derramaba sobre el camastro, después el otro y Joe se arrodillaba, serio, grave: —Son la vía láctea que bajó a la tierra. Sagrados, sagrados, y blancos hasta cegar.

Joe juntaba las manos y cantaba sin palabras comprensibles:

Jillo holly yellow hey...
Jillo holly yellow hell...
Jillo, jallo.

Las pústulas fueron secándose una a una y empezó otra vez la huida, con la cara bien cubierta por la gasa colorada que Joe le había comprado en Texas y la capota con el lazo celeste bajo la barbilla. La gran llanura empezaba ahí, arenosa y purpúrea; caminar, caminar. Por fin encontraron la diligencia: al cochero le había dado el mal del sol y Joe tomó las riendas.

—¡Sólo un lagarto negro soporta este sol del demonio! —había dicho el cochero escupiendo.

Se acomodó con la mujer adentro de la diligencia. Tenía los ojos nublados y no vio las marcas de la cara; ella le ponía compresas de Bourbon en las sienes. Actuaba con cuidado, para que no resbalara la gasa que tapaba la cara marcada, aunque hacía un calor del infierno, ya no podía más y los huesos le sonaban y pinchaban adentro del cuerpo enflaquecido. La diligencia seguía por el desierto. Joe sabía de una hornalla chica con una cabaña que una vez había albergado a un negro huido. Quedaba un poco más allá del Gran Cañón, y el río Colorado pasaba cerca con agua dulce para beber. Pero en la hornalla habitaban los demonios que odian a los hombres y las mujeres, negros o no. Por suerte Joe podía modelar las figuras que exorcisan —su abuela le había pasado los secretos de las espinas de tuna— y cada tormenta arrojaba una figura al Gran Cañón para apaciguar a los demonios grandes y alimentar a los chicos. Porque Joe había encontrado la hornalla que pronto fue "el rancho de la hornalla" y entre cascotes y arena empezó a sembrar. Pudo comprar la cabra y un día vino solo el macho cabrío y quedó.

—¿Ves? Son mis ángeles que llamaron al chivo —decía mientras modelaba y aditaba falos de cactus pinchudos lila-violeta.

Las semillas fecundaban y les daban de comer.

Una vez el mandadero trajo un calzón largo con puntilla para la mujer, y una falda rosa fuerte con miriñaque que Joe había encargado.

Ahora la mujer, ahí apoyada, los sacaba con cuidado de la maleta vieja, los palpaba y estiraba mientras seguía enredando con los recuerdos, como una araña, sin poder desprenderse. El almuerzo no estaba preparado cuando Joe bajó de la hornalla. Estaba cabizbajo y parecía triste. Por fin mientras comía su galleta y los dos bebían leche, se miraron fijo a los ojos, por primera vez ese día. La mujer como despertándose se enderezó para empuñar el látigo. Pasó las yemas por sus cuerdas trenzadas, como una despedida; después se lo entregó a Joe. Luego cargó con la pala y la azada y empezó a subir hornalla arriba. Joe la miraba; él también subió. La veía alejarse con melancolía, pero encendió la pipa de ella y empezó a chasquear con el látigo, mientras inspiraba y exhalaba el humo de la pipa. Porque los dos eran buenos hijos de América, súbditos obedientes de su presidente y no iban a trasgredir la ley, aunque fuera una ley hija de la guerra.

La mujer cavaba y después sembró porque era la época. Joe volvió a la hornalla siempre fumando, preparó el cocido y chasqueó el látigo también, lanzando los improperios de rigor con su voz potente, un poco ritmados como una letanía. Claro está, por la noche todo estuvo bien; como cuando estuvieron escondidos en la otra cabaña, Joe ungió toda la piel blanca de ella, la inmaculada de los pechos, y la otra de la cara y el vientre. De pronto levantó a la mujer en alto y la depositó suavemente sobre la mesa de piedra, en un sitial que había preparado con florecitas amarillas del desierto, porque estaban en el mes de las lluvias.

Gravemente, como si fuera un objeto sagrado, Joe le entregó el látigo y la mujer un poco cansada, desganadamente al principio, empezó a chasquear, después alcanzó a Joe en las pantorrillas, fue enardeciéndose, le dio en los hombros, en el pecho. Joe bailaba, bailó más y más para ella, balanceándose como una serpiente, un tigre, un búfalo en celo hasta arrodillarse frente a la mujer, riendo como el río Colorado, llorando como la tempestad y el·viento hasta apresar toda la blancura de ella entre sus brazos duros para exprimirla de luna, para cubrirla de tormenta y cumplir una vez más la otra ley oscura de la tierra, con infierno y con cielo.

LOS DOS HERMANOS

Frida Kluger volvió a Buenos Aires después de veintitrés años. Había cabalgado por las mismas nubes de cartulina verde y rosa siendo simplemente una de las walkirias. Ahora las nubes estaban más desteñidas pero ella, además de cabalgar, debía dormirse circundada por el fuego frente a los tres o cuatro mil espectadores del Teatro Colón: era Brunhilda. Pero tenía veintitrés años más.

Su hermano Otto había insistido en acompañarla en el primer viaje. Salieron desde Hamburgo siempre hacia el sur y el muchacho se había quedado en esta maldita tierra. Verdad que el primo Rudulf lo había llamado pero ella no le pagó el viaje para eso. Otto era sagaz para los contratos, ordenado para las maletas y fuerte y mañoso para ajustar el corsé. Además, proporcionaba ese clima de endiosamiento propicio a una heroína wagneriana. ¡Bueno y tierno hermano perdido en la selva! Inmensamente rico, ahora, tal vez un hombre maduro gastado por el clima tropical, con el pelo gris.

Frida se miró al espejo del cuarto del hotel. No, ella no tenía el pelo gris. Sólo los ojos sagazmente gris-azules que traspasaban la luna del espejo y miraban el otro rostro adolescente de ella o del hermano, la cara casi redonda, un poco pálida, aureolada por el lino suave del pelo, un rostro que siempre parecía estar de frente, de pómulos pronunciados y nariz pequeña y movible. No, el amor no la había tratado con demasiada reverencia. (La garganta se hinchó como una paloma y las alas, no, los senos, sobrepasaron el límite del soutien.) Hans, Robert y el barítono italiano, desleales, todos, con la gran Frida Kluger.

Llamaron a la puerta. ¿Por qué ese hamburgo-steak no estaba totalmente crudo por dentro como reclamaba la gran voz de agua clara partiendo de las grutas de oro de su garganta? Maldito país. Y la doncella, ¿dónde diablos se había metido con la Bieckert? Ajjj... maldita gitana de la baja Europa. Su hermano entendía las cosas y ahora tenía mucho dinero. Ella ni siquiera conservaba la diadema que le regaló el príncipe, en aquella cena después de la Isolda. ¡Maldito barítono italiano! ¿O no era Isolda a quien debía la diadema? Tal vez Electra, sí, a Electra. Orestes tenía los ojos oblicuos y le permitía lucirse en los agudos. Cosa rara, al fin, uno que no estorbaba en los agudos de oro. Pero el viejo chocho de Ricardo Strauss había preferido para su Electra a las puercas de la baja Europa. ¡Malditos!

El paisaje se parecía a cierto sendero que bajaba hasta Insbruck. Sembrados y pinos suavemente mecidos por la brisa. Más allá, los árboles de tung floreciendo de blanco como almendros vueltos hacia abajo, más enamorados de la tierra que del cielo, tierra roja como la sangre, cuatro cosechas de té cada año, cuatro temporadas para recoger oro, mucho oro mientras las cuadrillas de los nativos abren picadas y dejan al descubierto las entrañas de la tierra ardiente. Raíces, calor, víboras enroscándose y alimañas naciendo de esa tierra impúdica, animal o humana más bien, que nutre con sabia de hombre: ambición, ambición, ambición.

Guerra contra las mismas, contra la América y sus ríos, guerra contra la selva desconocida —telón sólo penetrado por la imaginación del decorador—, guerra, para poder afirmarse, construir, preservar el predio, el Walhala. Idiota, simplemente idiota haberle puesto ese nombre, la casa revestida de madera, total una cabaña grande con mirador sobre el río y alrededor las azaleas florecidas. ¿Cuántos Hansels y Gretels tomados de la mano se necesitarían para rodear una planta de azaleas? ¿Siete, nueve? Y como si fuera a la entrada de una *première*, para dar envidia a la contralto, el otro círculo entre las nubes; bouquets, tres o cinco bouquets de flores violentamente rosadas por cada árbol de lapacho. ¿Qué otra tarjeta podrían llevar esos bouquets que la de Wotan?

Verdaderamente ridículo, este buen Otto. ¿Cómo diablos habrá hecho para transportar el Steinway al borde mismo del mundo, hasta la baranda del mundo mirando hacia la nada? Eldorado, hechizado, acaramelado. Claro que la casa está revestida de madera, adentro y afuera. Asombroso, si no hubiera ejércitos de troncos alineados en todas partes; un, dos, marchen, un, dos... ¡Fuera de aquí, india, no preciso que me abaniques con tu pantalla de junco! ¡Fuera tus tés y tus yerbas malditas, y tus ojos dulces de tabaco! ¡Fuera, fuera!

—Dime, Otto, ¿Qué vas a hacer con esta linda y pequeña muchacha oscura? ¿Encarna, se llama? Dócil y paciente Encarna. Vamos, Otto, no me mires así, ¿te parece, de verdad, que no estoy tan vieja? Eres el único hombre con quien no puedo sacarme los años. Tres más que tú. ¿Iguales los dos? ¿Alter ego? Pero tú tienes unos pelos blancos y yo no... ¿Me regalas más brillantes? Sí, quedan bien en mis orejas. ¿Verdad que tengo lindas orejitas? Pero dime, ¿tienes alguna mina de diamantes bajo la oscura yerba mate? Ah, el Brasil, el bonito Brasil con sus diamantes vagabundos... Ya tengo más joyas que la vieja Clitemnestra. ¿Te acuerdas de Clitemnestra bajando los escalones? Tralararilarari. Ella, jugando con sus joyas, y abajo, en los pasadizos subterráneos, Electra y Orestes, los dos.

El cuadro alemán regresó a Europa sin la gran Frida Kluger. Se quedó en el Walhala; el predio de Misiones. Una tarde, Frida se hizo conducir hasta la entrada misma de la selva y la penetró apenas. Las gasas se le enredaban en los árboles. Se abrazó a un lapacho y empezó a cantar. La selva tiene buena acústica.

Otto la oyó, desde sus sembrados. Bajó de la camioneta y se internó un poco entre la espesura. Ella allí, abrazando los árboles, era él mismo, su parte liberada, su alma, sola y secreta. Él había trabajado duro, había peleado y había hecho cosas que era preciso olvidar. Por fin su alma podía salir de su escondrijo entre víboras, por fin podía respirar. La lluvia empezó a caer sobre las hojas. Otto buscó un claro y las gotas resbalaron sobre su cabeza, sobre sus manos. No había nadie allí cerca; se puso a llorar.

A la noche, la hermana, alhajada y prolijamente peinada, y el hermano, permanecían silenciosos, sentados a la mesa. Los candelabros dibujaban paisajes remotos en esos dos rostros monótonos y redondeados. Dos lunas en pos la una de la otra. Encarna los servía sin ruido, como si bailara un rezo, con sus ojos mansos de siempre, que no expresaban nada.

En el Walhala no se recibían visitas; ni los Shmitt, que eran del mismo lugar, ni los Pallemarts, que eran músicos, ni los millonarios Schlager. Podían murmurar si eso les gustaba; que corrieran los rumores a lo largo de los sesenta kilómetros de carretera que formaba el pueblo, que se desparramaran en los bailes de los sábados, que crecieran del aeródromo hasta las nubes. Él, Otto Kluger, se había casado, precisamente ahora, con la chinita Encarna para hacerlos callar. Era como pagar un endemoniado impuesto más. Bastaba con eso para dar en los nervios. Pero había que aguantar, aún, el alarido de los mensuales cada vez que derribaban un árbol.

¿Por qué desafiaban la furia de la selva? Sin duda para que se arrastre en la noche y penetre en las chacras con sus uñas vengativas y sus lianas pegajosas. La selva avanza siempre y gana, aunque se derriben gigantes y se encienda la maraña enloquecida. Todo se vuelve rojo. ¿Dónde está Frida? ¡Frida! ¡Frida! La tierra y sus sembrados son para ella, todo a nombre de ella para que no se vaya, para que sueñe y se quede rodeada por el círculo de oro; pinos, naranjos y parapetos de té. Siempre queda el río como un epílogo para huir o para morir, si no se puede más. ¡Frida, carne blanca, Frida!

Encarna sabe que si espera, todo sucede. Ella se llama Encarnación de Kluger, ahora, tiene papeles y marido, y doña Frida le regala blusas de seda y enaguas celestes, y le tira con perfumados potes de crema, a veces, cuando ella abre la puerta del cuarto para llevarle el desayuno.

Pero Encarna está sola en el catre; el patrón ya no molesta más. Arriba se oyen los pasos, los chirridos de la cama, y las voces:

—Otto, algo cabalga en la selva. ¿Acaso un héroe herido?

—No pienses en leyendas, Frida. Sólo piensa en un ser completo y único. Medalla con dos caras iguales, sin reverso. Tú y yo somos la medalla de la buena suerte acuñada por un amor ario, *pur sang* y sin infiltraciones.

Se está bien en el catre, cómoda, ahora, sólo que se dan vueltas y vueltas y no se puede dormir. Pero no hay que mirar por la ventana, no hay que espiar el río porque puede atisbarse la otra orilla con desgracia de mensú, y chicos con cara de pantano, y viejas con costras. Sería lindo abrazarse a Rosendo, alto y dulce como un árbol de incienso en la noche, pero en el rancho de Rosendo hay miseria. No, no soy como la otra Encarna, mi madre, que se fue a la otra orilla y el río la devolvió hinchada y verdosa por seguir a un hombre. Cante y mueva su cara gorda, doña Frida, para que se hamaquen sus lindos aros y brillen. Y regáleme blusas de seda verde así me nacen flores en los pechos...

Encarna abre los ojos en la oscuridad. Una presencia está ahí, espesa, en el aire negro. Por el lado de la cocina, chirría una puerta, crujen las maderas; entran uno, diez, más hombres. Son los de la otra costa, los que roban y los que matan. Es sábado a la noche: en la chacra están solos, los patrones y ella. Encarna queda adentro de su miedo, esperando. Y la presencia sigue ahí, quieta, con su olor: río, rebenque, hombre. Y por fin, el soplo contra su piel, contra su boca.

—No tengas miedo, Encarna, soy yo, Rosendo. Te vengo a buscar.

Rosendo, peso de hombre, viento norte. Ella y él, una ola más densa que el sueño y envuelve en remolino alto como el monte y sumerge hasta lo hondo como si fuese para siempre.

¿Por qué Rosendo se arranca y cobra otra vida distinta, insignificante, en que las cosas importan, otra vez?

—Los compañeros esperan, Encarna. Tenemos que vengarnos de los patrones y tomar lo que es nuestro. Y después, volvemos a la otra costa, nosotros dos.

Encarna siente entristecidos los pechos y repite las palabras tardías como resaca de río: —Volvemos a la otra costa nosotros dos.

Lentamente va tomándola y estrujándola el antiguo, espeso deseo de volver. Por fin es ella misma, Encarna, la de verdad, y quiere llevar fardos a la cabeza y estar sometida a su hombre y tener chicos. Su sangre es una creciente que va colmándola, inundándola, ya. Siente el gusto de la selva y de su río, cada vez más agudo, más agudo... el gusto de la venganza, nítido, y le hace dar un salto, salir fuera de la pereza, fuera de ella misma y ser más que ella misma, ser su madre, ya... El gusto explota en su boca: —Vamos a vengarnos juntos, vos y yo, Rosendo, los dos.

Al ponerse el delantal, se le pega a su desnudez caliente. Pronto, hay que atar el cinturón. La impaciencia le entra por la nariz con el olor a pólvora. Ha oído un estampido y corre escaleras arriba, hasta los hombres que blasfeman y amenazan. Encarna también amenaza. El grito indio, largamente sumergido en la entraña, se alarga, recorre su espinazo, se hincha en los pechos y estalla:

—¡Hujúuuu, Rosendo, dame el rebenque!

La sangre mana por las heridas de los hombres y aúlla. La sangre de patrón tiene otro grito: ¡Muerte! ¡Muerte! El hacha de leñero quiebra los huesos del patrón, machaca. ¡Lonjazos a esa carne blancuzca que una vez dio tanto miedo!

—Bailá, Encarna, bailá. La sangre del patrón te emborracha los pies.

—Huijúuuu —gritan los hombres; unos acuchillan la muerte y otros palpan el cuerpo oscuro de Encarna por debajo del delantal: —La mujer, queremos la patrona, traéla.

Hombres, manos de araña, ¿por qué estropean las carpetitas de randa y quiebran la muñeca de loza celeste y rosada sobre la mesa?

—¡La mujer, queremos la patrona!

—Rosendo, Rosendo, las manos de hombre ensucian mi carne tuya. Las manos tienen ponzoña.

¿Por qué Rosendo se abraza a la damajuana rota? Rosendo ahí tirado, miseria de la otra costa.

—Traé a la mujer, Encarna, a la patrona gorda pa los muchachos.

—No hay patrona, Rosendo, no está.

—Entonces aprontate, Encarna. Te llevo para la otra costa antes que aclare.

—Aura tengo papeles, Rosendo. Hay que andar con cuidado cuando se tiene papeles. Te buscan... y te encuentran, después.

La voz de Encarna va creciendo. Casi es un chillido de animal de la noche. Ella se fortalece al son de su propia voz. Siente que la palabra *papeles* pesa como otro cuerpo sin pechos y sin sexo adentro de su cuerpo, pero con plomo en los pies.

—¡Encarna, cruzá a la costa!

—¡Encarna, vení pa el río!

Pesa la solidez, adentro; afirma y pega las plantas de los pies a los tablones del piso. Rosendo, rama de árbol, Rosendo, desgajado, derramado, se tambalea, y los otros lo empujan escaleras abajo, turba con heridas oliendo a vino: —¡Pronto, chemenbuí, antes que aclare!

La turba baja, cada vez más hondo, escaleras, barranco negro, río, mientras Encarna sin Rosendo, queda, la espalda contra la ventana, pegada a esa madera cepillada, ordenada, dura, que es la casa; y ella, de cara a la muerte.

El río se queja azotado por los remos. Después la oscuridad, solamente, hasta el llamado del primer pájaro. El resplandor de la madrugada se detiene, se queda fijo sobre la cara del patrón muerto; toda la madrugada está ahí, desprestigiando a la muerte.

Encarna va recobrando los ojos de tabaco dulce, la cara oscura ya no expresa nada. Detrás del cortinado de la cama del patrón está la puertita. Encarna toma por allí, con pereza sube la escalera en tirabuzón hasta el altillo. Doña Frida parece dormida, boca arriba en el catre, o, a lo mejor, está desmayada. Es más gorda y más blanca que antes esa cara entre los brazos y los pechos derrumbados.

Encarna la palmea y le habla despacio:

—Mande lo que guste, doña Frida. ¿Un poco de té con el remedio? Y quédese tranquila, se lo traigo en seguida.

Encarna sigue sirviendo a la patrona que envejece dignamente mientras en el secadero, año tras año, va mejorando la calidad de las hojas de té.

LA ISLETA

EN PLENA SELVA de Montiel hay un potrero donde la proporción y la armonía han ganado la partida. Los árboles están bastamente separados uno del otro y se ven simétricos y corpulentos. Son los mismos árboles criollos de la zona, algarrobos y ñandubays, pero al tener oxígeno y sol a discreción se han desplegado, ampliado tal vez porque un arroyo claro y perenne se desliza a su vera. Es el Lucas: estamos en Lucas Sur.

Este potrero de "La Luisita" era el lugar elegido para el picnic campero de todos los años, en cierto mediodía de marzo, mes de nuestras vacaciones en la estancia, donde solíamos reunirnos, una vez por temporada, con los vecinos de "La Nueva Alemania", la otra estancia, a cuatro leguas de distancia.

Sobre la gramilla del potrero de la costa se desplegaban manteles coloridos, cristales y vistosos manjares mientras el viejo capataz asaba el costillar y llegaban los invitados, caballeros y bellas señoras rubias muy escotadas, muy altas —vislumbradas por la criatura de escasos años que fui yo alguna vez—; enormes sombreros de fieltro adornados con plumas de faisán y aves de paraíso protegían su blancura de los rayos de sol de Entre Ríos. Los caballeros vestían atuendos de caza, con chaquetas rojas unos pocos, y otros más severos con negros terciopelos. Eran muy grandes, imponentes y hermosos, siempre de perfil y sin mirada.

Lejos pastaban y hasta osaban balar las ovejas y sus crías blanquísimas.

El arroyo transcurría persistente en su rumor. Con extrañeza de todos, ese mediodía aconteció el hallazgo,

131

una caracola de madreperla detenida en un recodo de la costa por "seculares aventuras de mares remotos", comentó papá con humor tal vez, porque las estatuarias señoras rieron con risas tan cristalinas como el choque de las altas copas apenas opacadas por los vinos transparentes. ¿Mares remotos, había dicho papá? ¿Quería decir que todo fue mar transformado? En ese momento las señoras se pusieron de pie al unísono mientras las más jóvenes correteaban dejando resbalar las gasas que hacía unos minutos habían aplacado las madreperlas redondeadas de sus escotes.

Una de ellas vendó los ojos de un caballero, con oscuro pañuelo. Otra, la más rubia, la imitó y cubrió todo el rostro deslumbrante del de la chaqueta roja con un echarpe negro. Las parejas, con risas acaso un poco estentóreas, jugaban al gallo ciego. Observé esta escena que creí haber visto ya en el país del abanico de mi abuela. Yo estaba en puntas de pie al borde mismo de la isleta, que vista desde lejos no desdecía la armonía del paisaje con su redonda armonía de sombra, pero desde su límite tangible recobraba su amenazante poder de cosa prohibida. Quizá significaba la advertencia de la América profunda en un paisaje que parecía pintado por Corot, pero este pensamiento es del presente. Entonces, la isleta era para mí solamente el ensimismamiento, el misterio, la belleza cosquilleante del miedo, una maraña de lianas y árboles transformantes en fantasmas, y la fatalidad. Yo miraba hacia adentro y percibía oscuros gritos y silencios más siniestros aún, porque las presencias que callaban eran invisibles. Luego venían los chistidos y los silbatos de las víboras. Algún pájaro aterrorizado que había cometido la insensatez de entrar en esa espesura daba su grito último. Pero de esa cerrazón sin una rendija de perdón para la luz, sobresalían por sus bordes las incitantes flores olorosas de sus enredaderas: pitas con el color de engañoso sol radiante, mburucuyás violáceos con los siete clavos de la corona de Cristo y los alargados cirios de incienso blanco-cera de la flor del niño-urupá. A las otras, las flores devoradoras y carnívoras, nunca las vi. En cambio encontré alguna vez entre los helechos las deslumbrantes pieles, que al deslizarse habían desprendido las elegantes y terribles yararás. Papá lo había explicado y yo las reconocía.

También decía que en medio de la isleta anidaban las víboras de coral y los jabalíes devoradores, y añadió que la profundidad de la isleta nunca había sido hollada por el hombre. Pero yo vi entrar allí una mujer, la más linda y rubia de las señoras altas. La seguía a tientas el de la cara cubierta y la chaqueta roja, procurando apartar las ramazones sin lograr que las espinas dejaran de hincársele y las lianas lo maniataran. La joven rubia seguía adelante, se internaba en la sombra hasta desaparecer. El aroma de las flores y los líquenes era insoportable ahora, pero yo permanecí, empequeñecida, mientras la sombra crecía, agigantada, envolviéndome. Y entreví, fulgurante como si despidiera llamaradas blancas, la flor hambrienta, carnívora, abriendo pétalos, tentáculos, rubios pistilos, y la víbora luchando, apuñalando.

Después nada, sólo oscuridad, y la respiración pesada de la isleta.

Cerré fuerte los ojos apretándolos. La negrura abarcó la pradera, las aguas del arroyo y los corderos. Tal vez el cielo quedó boca abajo. Tal vez el mundo fue devorado y se volvió isleta.

No sé cuanto tiempo quedé allí en el oscuro. De pronto mamá, papá, las señoras altas y los grandes caballeros empezaron a dar voces. ¿Dónde, dónde está? Tal vez buscaron por minutos o por años. Pasaban por mi lado casi atropellándome. Pensé que me buscaban a mí, que me había vuelto invisible. Pero no, gritaban un nombre difícil de pronunciar. Las chaquetas rojas y las de terciopelo negro, los escotes temblorosos y las aves de paraíso se confundían vertiginosos. Sólo el capataz merodeaba alrededor de la isleta. Entró. Se oyó un silbido largo, sinuoso, y yo vi el relámpago. Un relámpago, sí, aunque era de día. Un relámpago que duraba y era tan intenso como si hubiera sido noche sin luna. El capataz salió de la isleta, la cara tan impávida como siempre.

Quise explicar lo que había visto pero no me salió la voz o nadie me oyó. Sin embargo, al pasar junto a mí todos miraron hacia abajo. Pero no fijaron la vista en la niñita de cinco años incómodos, sino en algo color madreperla que yacía en el pasto.

—Es la gasa —dijo alguno.

—¿Y ella, ella? —corearon otros.

—Es la piel de una especie rara de yarará —añadió el capataz en voz muy baja.

Gasa color escote entretejida con pelos rubios, pero su dibujo o escritura decía cosas secretas y parecía extenderse, arrastrarse. ¿Ella transformada en...?

Pero nunca lo dije. A nadie.

LA TELARAÑA DE LAS LUNAS

HABÍA QUE irse lejos de los otros, lejos del pueblo para no verlos, no oírlos. Ellos eran los únicos que estaban vivos. Los otros interferían con su olor a muerto que asesinaba horizontes, ojos de navaja para cortar el éxtasis, bocas llenas de larvas para devorar las ondas curvadas hacia arriba del sueño único de ellos dos, mezclados.

Los cuchicheos de los otros crecían, atronaban: que si él aullaba en las noches, que si la luna, que lo sorprendieron desnudo convertido en animal en celo, que si ella corría por el bosque cubierta de enredaderas, que a orillas del arroyo la habían espiado dormida entre pastos con un collar de tucu-tucus en la cintura y una flor de mburucuyá en cada pezón. Que si él la velaba entre fogatas porque estaba muerta hasta que con soplidos de animal del diablo la devolvía a una vida descompuesta con extrañas cruces por todo el cuerpo que él le había trazado, embadurnadas de saliva espejante... Lobizón, yo vi las marcas de colmillos en el cuello d'ella! Yo vi la mordida sangrante entre sus piernas!

Basta. La belleza intacta les pertenecía a ellos dos. Eran sus dueños aunque la apresaran solamente por instantes que tenían el gusto de la eternidad. Huir, perderse de los otros. El indio también huido no los temería. Los llevó río arriba en la piragua. ¿Qué importa a dónde? Tal vez a las islas. A una isla con su isleta en sus adentros, la más espesa de vegetación, con hamacas naturales de lianas tendidas entre árbol y árbol, la de anillos de río o de cielo en medio de su hondura, isla formada por resaca de río y basura transformada en dul-

135

zor, dulce pobredumbre que da frutos con perfume y sabor de primer fruto del mundo y sólo extendiendo la mano está allí el marlo del maíz carnívoro-inocente fecundando los huevos de la resbaladiza iguana.

Dormir hasta el fin del mundo en los largos días entre penumbras verdes y soñar el mismo sueño de mares-hembra con largos ríos violentos que entran ahí para morir, y altas montañas para venerar. Los cocodrilos verde-sucio los guardan, los sapos recorren sus cuerpos dándoles su frescor. Entre sueños oyen el coro de los pájaros del ocaso. Uno de ellos color lapislázuli bebe en sus dorsos el sudor de sus delicias mezcladas. De pronto ella abre los ojos sobresaltada: —No sueñes otro sueño, no te alejes, no te pierdas. Trae mala suerte.

—¿Por qué no me seguiste hasta la curva del mundo?

—No pude. Tu abismo...

—*Nuestro* abismo. Sólo perdiendo el vos y el yo ganamos la fortaleza.

La noche se anuncia con sus lunas, la visible y las otras. Empiezan a despertar los pájaros nocturnos, los que dan la bienvenida a la sangre que enciende al tigre. Ellos se desperezan. Los resplandores de los fuegos fatuos no asustan a los amantes, ellos despiden las mismas fosforescencias. La mirada del búho de los presagios los lleva a otras dimensiones. Ellos se asoman apenas a la hondura. El búho aletea, ahora. ¿Quiere prevenirles? Al silbido de las culebras sigue el baile de las alegres comadrejas. La lechuza chilló por tres veces. La selva calla. Los animalitos de la jungla han huido. Atraca un bote con cinco hombres embarrados. Han desembarcado y esparcen su olor a hombre vestido de suciedad, de géneros agrios. Los yacarés los contemplan de lejos. Los hombres avanzan pero los amantes no los oyen, no quieren oírlos, renunciar a su paraíso. Uno de los hombres se adelanta por la espesura, va macheteando las cañas y las enredaderas. Divisa algo movible entre el verdor y el vapor; deben ser ellos, los culpables. —¡Lobizón! ¡Acá está el lobizón con ella! ¡Maldita!

Es la voz del hermano. Siguen dos disparos. El segundo dio en el hombro izquierdo de él. No gritó. La hundió a ella entre las hojas, abajo, y tomó el cuchillo siempre cercano; fue deslizándose, sin ruido, entre lianas, arbustos, árboles hasta que saltó, justo, sobre el intruso. A pesar de que el hombro baleado empezó a sangrar, lo forzó al otro para que soltara el arma. Pelearon con cuchillo, sin poncho, a cara limpia. El hermano cayó entre el barro con un aullido. Tenía la pierna desgarrada. Se oyeron voces que respondían a los quejidos y crujidos de enredaderas quebradas. —¡Lobizón, lobizón hijo del diablo, ha matado al hermano d'ella! Él ya se deslizaba hasta la hamaca tras la hojarasca. Dos hombres le cerraron el paso. Los cuatro se le fueron encima.

Ella divisó el grupo. Había arrancado una liana fuerte que cedió a su tirón. Le pareció un augurio; la naturaleza estaba de su parte, ya no existía la división entre los reinos naturales. Despacio, fue acercándose a esa sombra movible, amorfa, espaldas encorvadas, vestidas, atareadas por apalear, por matar a su hombre invisible, solo, entre tanta opacidad.

Ella se empina, cobra una fuerza nueva capaz de latiguear, de vejar hasta hacer morir. Es la loba que defiende su especie, su amor, su paraíso. El hermano en el suelo, entre barro y sangre, escupe maldiciones. ¡Puta maldita! pero ella sólo ve los cuatro lomos doblados, espesos, rencorosos, cobardes, desprovistos de ese halo que ellos dos se habían adiestrado en descubrir o vislumbrar en plantas y animales. Ahora latigueaba ciegamente a los enemigos, los intrusos. Crecía en ella la voluntad de matar. Era lo primordial, matar a los otros: cuatro asesinos para un solo hombre herido. Vio un tronco en el suelo. Lo alzó para golpear la cabeza de alguno. Ya vendría el tigre, el yarará y sus otros compañeros de la selva para ayudarla. Ella aplastaría las cabezas de los hombres a lonjazos, latiguear, golpear, después los amarraría todos juntos contra un árbol, con su liana. Los grandes árboles la esperan. Un quejido de su amante le enardece la sangre. ¡Te vengaré!, grita. Pero los hombres vestidos, sudados, sólo se sienten acuciados por los rebencazos, de esa mujer casi desnuda que los chicotea en los dorsos, y las nalgas. Uno de ellos se vuelve un poco tambaleante, apenas puede respirar. ¡Hembra brava, carajo! Recibe un latigazo que le corta la cara. Se necesitó de la fuerza de dos de ellos para inmovilizarla. Con su propia liana la ataron de pies y manos. Con ojos ardientes los hombres lanzan miradas interrogantes al hermano. Es el que manda, aunque esté en el suelo herido. La mujer cae en el barro verde.

—¡Ahorquenló, mírenlo aura, el lobizón! El hermano logró desviar la atención de sus hombres. Y agregó con un rugido o una risa mala: —y que mi hermana lo vea.

El moribundo un poco más allá, está desangrándose.

Uno de los intrusos se apresuraba con celo, desenrollaba una soga que llevaba en el cinto. Había sido previsor. Estaba contento de sí. Otro preguntó: —¡Y más después! —Lo llevamos p'al pueblo. Pa que vean que cazamos al lobizón.

Tal vez para economizar palabras el hermano señaló con la cabeza el árbol de la rama alta, extendida. Sobre el desgarrón de la pierna se había atado un pañuelo que empezaba a enrojecer.

Los otros estaban atareados con el nudo corredizo. Pasaron la cuerda por la cabeza del moribundo, verificaron la eficacia del nudo, en el pescuezo. Por fin lo colgaron del árbol, como si fuera de la Cruz del Sur.

Ese hombre desnudo, alto, resplandeciente, balanceándose despacio desde la cuerda, acalló a los animales de la selva, al rumorear de los insectos. Todo era silencio. Sólo la luna lo fijaba con un resplandor verdosoblanquecino. La mujer también estaba callada, no hacía esfuerzos por librarse de las ataduras, ni por incorporarse. Sólo ardía la mirada que se desprendía de ella, la arrastraba consigo, ya estaba fuera de sí misma, su esencia la había abandonado para entregarse a otros ojos, otra frente. La intensidad de esa mirada tal vez pudo por un instante vencer a la muerte. El hombre de la horca abrió los ojos. Su sacudimiento estremeció al árbol. La selva respiró otra vez y el hombre, mientras iba tornándose rojovioláceoamarillomagenta, tendió su propia mirada que se unió a la mirada de ella, integrada adentro de sí misma, para ser uno de los pilares que sostiene el puente tendido sobre el silencio y el jadeo, el sudor, la sangre, la podredumbre, la fragancia de la naturaleza expectante; puente precario que contuvo por un instante a la eternidad. Cable tenso era esa mirada arqueada, elevándose y volviéndose a curvar, desde los ojos de él hasta descender al otro polo, los ojos de ella, puente de acero al infrarrojo en una atmósfera de pronto diáfana, nítida, sin humus, sin río, sólo unas gotas de luna que caen desde él por entre sus piernas, por entre la muerte.

Con avidez la tierra bebió eso. Después, nada. Solamente el vapor y calor de siempre y la sed. Los intrusos respiraron fuerte; quizás hubieran suspirado de haber sido capaces. Uno eructó. El hermano herido, desde el suelo, pidió agua.

Habían pasado muchas respiraciones y soplidos cuando dijo: —Desaten los pies de mi hermana pero pónganle un trapo en la boca, eso sí. La llevamos p'al bote. No quiero gritos ni rasguños de mujer. También llevamos al muerto.

La curandera del pueblo sabía curar a los posesos y a

los locos. La llevaron allí. La curandera la hizo dormir por siete lunas. Después la dejó llorar. La devolvió limpia a la casa del hermano. Ella quedó sin salir ni a la puerta, por más de un año, quizás.

Cierta noche clara se levantó en silencio y sin despertar a los otros llegó hasta el arroyo. A lo mejor tuvo alucinaciones porque empezó a gemir, a aullar. El hermano la alcanzó y la zurró fuerte; la encerró con cerrojos en el cuarto de él. En esos días acertó a pasar por el pueblo el señor cura como lo hacía cada dos o tres meses. La curación total se llevó a término con la ceremonia de la exorcización.

Ella tejía encajes con hilos finos que vendía a algún viajero que acertara a pasar. También pisaba el maíz y preparaba el locro. Transcurrieron catorce años.

Una noche de año bisiesto la luna llena tenía un gran claror. La mujer salió al campo sin hacer ruido para no despertar al hermano tendido en el catre. Evitó pasar por la lonja de la laguna. Siguió adelante, cada vez más aprisa. Se encontró junto al río. El ímpetu de su corriente le subió a la garganta. Sintió la opresión de una soga, en el cuello, como si la estuvieran ahorcando. Se mantuvo quieta, casi sin respiración. Después empezó a correr. Huía, no sabía de qué. Sentía dentro de sí el imperio de otra naturaleza que no era la suya. El aullido le subía a la boca, iba a estallar. Sabía que si eso ocurría sería su ruina. Sin embargo toda su sangre se agolpaba, necesitaba del grito para no morir. Se tapó la boca con las manos, con hojas de plantas acuáticas. Hundió la cara en el agua y se estuvo allí hasta salir ardiendo, sofocada, ahogada. Tuvo que toser, que vomitar, que doblarse en el suelo, convulsa, la lengua entre el áspero pastizal, los dedos desgarrando la tierra. Había sido ahorcada, ahorcada por fin.

El indio salió del oscuro y la cargó hasta su tapera. Le

dio un cocimiento de yuyos. Amanecía. Ella tuvo la certeza de haber tocado fondo. Era distinta a los otros, estaba sola. Este pensamiento le proporcionó la calma. No iba a volver al pueblo. Pero el viejo indio no podía guardarla. Los hombres blancos lo iban a achurar como lo hicieran con su mujer, su madre y sus hijos. Tampoco la quiso llevar en su piragua, se había vuelto muy viejo. Ella esperó. Tal vez el indio dormía o más bien fingía dormir. Cuando la noche estuvo bien entrada ella dejó en la tapera cuánto poseía y se llevó la piragua. No sabía remar río arriba, no era capaz de hacerlo. Pero lo logró. Una fuerza nueva iba adueñándose de su ser y eso era bueno. Remó, remó hasta llegar justo a la isla de la isleta, la del anillo de río o de cielo, pensó una vez: más bien el anillo del principio del mundo. Desamarró la piragua, saltó a tierra, y empujó. La piragua siguió la corriente, río abajo. La mujer fue adentrándose en la espesura. Había súbitas iluminaciones o reflejos de la luna que la orientaban. Colgában aún la hamacas, de árbol a árbol. Los sapos no se apartaban a su paso, parecían reconocerla aún y las luciérnagas se encendieron para recibirla. El búho, el caburé mejor, aleteó rozándole la cabellera que se había soltado de sus torturas. Desde la rama más larga del árbol le clavó la mirada, la llamaba. La mujer se acercó. Bajo esa rama, entre el barro, crecía un verdor enhiesto vertical, desconocido. Ella se hundió sobre ese verdor en un reconocimiento táctil, ciego; áspero abrazo de mujer a hombre. Después se apartó. Algo razonante aún la hizo sentir miedo. Un hedor alucinante, hedorfragancia demasiado dulce, la penetraba. O era el sudor de su vestido. Se lo quitó. El olor persistía, corpóreo, necesario ya, era el sudor de la jungla, de ellaél, mezclado el aroma de las flores blanco-cirio de niñourupá, con algo de flor parásita del aire. El fruto de esa planta tenía la forma cónica del velón de niñourupá

agrandado, agigantado, versión veresombra del sexo de
su hombre en estado de amor. Ella tendió un extremo
de liana caída al brazo más largo del árbol que la ampa-
raba. El otro extremo estaba sujeto a la rama opuesta.
Después tendió otras y otras, hasta formar la hamaca,
donde se dejó caer. El frescor y la delicia del extraño
aroma la adormecía con sueños antiguos. Arrancó un
fruto cercano, rojo de ácido dulzor. Después otro. Se
durmió tal vez por días.

Despertó en la noche. Miró el árbol del brazo largo,
allá arriba, era el árbol de él. Sintió dentro de sí el relámpago del primer estertor, después la dicha del goce
desgarrado, la desazón, el calor y el apremio de la tierra;
él ya estaba a su lado. Lo abrazó y sobrevino él anhelo
desesperado por hacerlo llegar a su hondura, al fondo
mismo del amor —pasión total, al siempre más, hasta
llegar al compendio, la supresión del yo y del vos. Una
especie de planeta que se eleva, más denso que una nube
con el colorido de muchos colores fundidos, amorfo,
fue visible para ella, un poco más arriba que los cuerpos, más abajo de la ramazón que copia la Cruz del Sur.
Vio el largo brazo con otra dimensión, ahora. Estaba
entrelazado a ese crecimientoverdor. El árbol era una co-
munión verde de raíz tronco, ramas sin divisiones. Sintió que si ella permanecía allí también sería alcanzada,
cubierta, indivisa con la vegetación-delicia todopodero-
sa y perpetua que colma y estabiliza. Aquel estado de
amor que antes habían alcanzado en momentos fugaces,
ahora permanecía. Era la *fusión* de ellos dos siendo a su
vez, todo lo otro, selva, mar, universo. Habían logrado
el sueño desesperado del gran amor, goce plenitud éxtasis permanente. Lo habían logrado perteneciendo al
otro reino. El croar de los sapos daba la bienvenida.
Ellaél súbditos de otra ley, la vegetal, en que sólo había
que dejarse estar para yacer, el reino de la cópula del

mundo que nace del continuo desde el árbol planta hombre, vidamuerte, muertevida, alzándose en vilo, hundiéndose al caos, hamaca que viene y que va, todo ellaél, un solo dios vegetal.

Recobró con un temblor, algo de la memoria antigua, la búsqueda desesperada por llegar a la belleza, a la verdad, cuando eran ellos dos, separados, hombre y mujer. Ahora todo es verdor lunar amor pleamar, colores fundidos en uno solo fluctuante, sin urgencia por ser o por no ser. No sabía si estaba en lo uno o en lo otro, ni le importaba. El aire era redondo. No había división entre aire, tierra, agua, fuego.

El hermano desgajado, humillado, consiguió reunir algunos muchachones del pueblo para ir en su busca. La bruja india que a veces suele aposentarse por ahí les salió al paso y les advirtió que el hombre verde había despertado y poseído a la mujer. Ahora, cebado, estrangularía a cuantos se le acercaran. Los del pueblo se volvieron huyendo, trazando cruces en el agua y dando vuelta la pisada, en la tierra. El hermano quedó. Por algunos días estuvo rondando por allí, llamándola, hasta que en medio de la isla se hundió en el anillo de la ciénaga.

ÍNDICE

Impreso en el mes de mayo de 1977
en I. G. Seix y Barral Hnos., S. A.,
Avda. J. Antonio, 134-138.
Esplugues de Llobregat
(Barcelona)